D1273986

舍得，舍不得

带着《金刚经》旅行

蒋勋

CNS | 湖南美术出版社

自序

Preface

舍得，舍不得

带着《金刚经》旅行

我有两方印，印石很普通，是黄褐色寿山石。两方都是长方形，一样大小，零点八厘米宽，二点四厘米长。一方上刻“舍得”，一方刻“舍不得”。“舍得”两字凸起，阳朱文。“舍不得”三个字凹下，阴文。

两方印一组，一朱文，一白文。

当初这样设计，大概是因为有许多舍不得吧——许多东西舍不得，许多地方舍不得，许多时间舍不得，许多人舍不得。

有时候也厌烦自己这么多舍不得，过了中年，读一读佛经，知道一切难舍，最终还是都要舍得；即使多么舍不得，还是留不住，也一定要舍得。

刻印的时候在大学任教，美术系大一开一门课教篆刻。篆刻有许多作业，学生临摹印谱，学习古篆字，学习刀法，也就会借此机会练习，替我刻一些闲章。询问我说：想刻什么样的印？

我对文人雅士模式化的老旧篆刻兴趣不大，要看宁可看上古秦汉肖形印，天真浑朴，有民间百姓的拙趣。

学生学篆刻，练基本功，把明、清、民国名家印谱上的字摹拓下来，画在印石上，照样下刀刻出形来。这样的印，大多没有创作成分在内，没有个性，也没有想法，只是练习作业吧，看的人也自然不会有太多感觉。

有一些初学的学生，不按印谱窠臼临摹，用自己的体会，排出字来，没有师承流派，却自有一种朴实稚拙，有自己的个性，很耐看，像这一对“舍得”“舍不得”，就是我极喜爱的作品。

刻印的学生姓董，同学叫他Nick（尼克），或昵称他的小名阿内。

替我刻这两方印时，阿内大一，师大附中美术班毕业，素描底子极好。他画随便一个小物件、自己的手、钥匙，蹲在校园，素描一朵花，可以专心安静，没有旁骛，像打坐修行一样。作品笔触也就传达出静定平和，没有一点浮躁。

在创作领域久了，知道人人都想表现自我，生怕不被看见。但是艺术创作，其实像修行，能够安静下来，专注在面前一个小物件，忘了别人，或连自己都忘了，大概才有修行艺术这一条路的缘分吧。

阿内当时十八岁，书法不是他专攻，偶然写泰山《金刚经》刻石，朴拙安静，不露锋芒，不沾火气，在那一年的系展里拿书法首奖。评审以为他勤练书法，我却知道，还是因为他专注安静，不计较门派书体，不夸张自我，横平竖直，规矩谦逊，因此能大方宽阔，清明而没有杂念。

艺术创作，还是在人的品质吧。没有人品，只计较技术表现，夸张喧哗，距离美也就还远。弘一大师说："士先器识，而后文艺。"也就是这意思吧。

阿内学篆刻，有他自己的趣味，像他凝视一朵花一样，专注在字里，一撇一捺，像花蕊宛转，刀锋游走于虚空，浑然忘我。

他篆刻有了一点心得，说要给我刻闲章，我刚好有两方一样大小的平常印石，也刚好在想舍得、舍不得的矛盾两难，觉得许多事都在舍得、舍不得之间，就说：好吧，刻两方印，一个"舍得"，阳朱文；一个"舍不得"，用阴文，白文。心里想，"舍得"如果是实，"舍不得"就存于虚空吧，虚实之间，还是有很多相互的牵连纠缠吧。

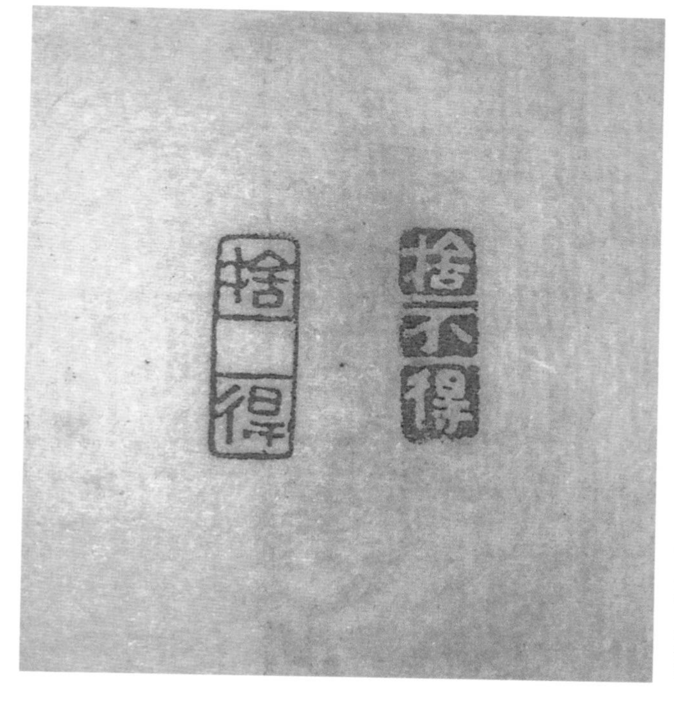

两方印：舍得、舍不得

这两方印刻好了，有阿内作品一贯的安静知足和喜悦，他很喜欢，我也很喜欢。

以后书画引首，我常用“舍得”这一方印。“舍不得”，却没有用过一次。

有些朋友注意到了，就询问我：“怎么只有‘舍得’，没有用‘舍不得’？”

我回答不出来，自己也纳闷，为什么两方印，只用了“舍得”，没有用“舍不得”。

阿内后来专攻金属工艺，毕业制作做大型的铜雕地景，锤打锻敲过的铜片，组织成像蛹、像蚕茧，又像远古生物化石遗骸的造型，攀爬蛰伏在山丘旷野、草地石砾中，使人想起生之艰难，也想起死之艰难。

大学毕业，当完兵，阿内去俄勒冈专攻金属艺术，毕业以后在旧金山有工作室，专心创作，也定期在各画廊展览。

二〇一二年，他忽然打电话告诉我，说他入选了美国国家画廊甄选的“40 under 40”——美国境内四十位年龄在四十岁以下的艺术家，要在华盛顿国家画廊展出作品。

阿内很开心，觉得默默做自己的事，不需要张扬，不需要填麻烦的表格申请，就会被有心人注意到。

我听了有点感伤，不知道阿内这样不张扬的个性，如果留在台湾，会不会也有同样的机会被发现。但我没有说出来，我只是感伤地问：阿内，你快四十了吗？

啊，我记得的还是那个十八岁蹲在校园树下素描一个蝉蛹的青年啊。

所以也许我们只能跟自己说“舍得”吧！

我们如此眷恋，放不了手；青春岁月，欢爱温暖，许许多多舍不得，原来，都必须舍得；舍不得，终究只是妄想而已。

无论甘心，或不甘心，无论多么舍不得，我们最终都要学会舍得。

舍不得

一位朋友丧偶，伤痛不能自持，我抄经给她，希望有一点安慰。她看到引首“舍得”这一方印，摇着头，泪眼婆娑，万般无奈，哀痛叫道：“就是舍不得啊！”

我才知道自己对人的帮助其实这么小，每个人“舍不得”的时候，我究竟能做什么？

多年来，习惯早上起来第一件事就先盘坐读一遍《金刚经》。

有人问我：为什么是《金刚经》？

我其实不十分清楚，只是觉得读了心安吧，就读下去了。

我相信，每个人都有使自己心安的办法。方法不同，能心安就好，未必一定是《金刚经》吧。

《金刚经》我读惯了，随手带在身边，没事的时候就读一段。一次一次读，觉得意思读懂了，但是一有事情发生，又觉得其实没有懂。

像经文里说的“不惊、不怖、不畏”，文字简单，初读很容易懂。不惊吓、不恐惧、不害怕，读了这几个字，懂了，觉得心安，好像就做到了。

但是，离开经文，回到生活，有一点风吹草动、东西遗失、亲人生病、病疫流行、飞机遇到乱流、狂暴风雨、打雷、闪电、地震……还是有这么多事让我害怕、恐惧、惊慌。

我因此知道：读懂经文很容易，能在生活里切实做到，原来这么困难。

我因此知道，原来要一次一次读，不是要读懂意思，是时时提醒自己。像我丧偶的朋友一样，该舍得的时候舍不得，我也一样惊慌、害怕、伤痛。

“不惊、不怖、不畏”，她做不到，我也一样都做不到。

“不惊、不怖、不畏”，还有这么多惊吓慌张，还有这么多舍不得，害怕失去，害怕痛，害怕苦，害怕受辱，害怕得不到，害怕分离，害怕灾难，害怕无常。因为还有这么多害怕，这么多惊恐怖惧，每次读到同样一句“不惊、不怖、不畏”，每一次听到、看到一个人因为“舍不得”受苦，就热泪盈眶。

王玠

最早读《金刚经》其实跟父亲有关。大学时候，他就送过我一卷影印的敦煌唐刻本的《金刚经》卷子，我当时没有太在意，也还没有读经的习惯。

父亲在加拿大病危，我接到电话，人在高雄讲课，匆匆赶回台北，临上机场前，心里慌，从书架上随手抓了那一卷一搁三十年的《金刚经》。十多个小时飞行，忐忑不安，就靠这一卷经安心。

忽然想到这一卷《金刚经》是大学时父亲送我的，却没有好好仔细看过。

原木盒子，盒盖上贴一红色签条，签条上是于右任的字，写着：影印敦煌莫高窟大唐初刻金刚经卷子。

三十年过去，我一直没有好好读这一卷经，打开过，前面有赵恒惕的诗堂引首，“金刚般若波罗蜜经”几个隶书，隔水后就是著名的咸通九年佛陀法会木刻版画。这个卷子后来流传到欧洲，许多学者认为是世界最古老的木版印刷，在印刷的历史上是重要文件。我大概知道这一卷唐代木版刊印佛经的重要性，但没有一字一字读下去，不知道卷末有发愿刊刻的人王玠的跋尾题记。

在飞机上读着读着，心如此忐忑不安，一次一次读到“不惊、不怖、不畏”，试图安心，“云何降伏其心”，原来如此难。

读到跋尾，有一行小字：

咸通九年四月十五日王玠为 二亲敬造普施

王玠为亡故父母发愿，刊刻了这一卷《金刚经》，也祈愿普施一切众生。王玠，好像因为自己的舍不得，懂了一切众生的舍不得。

飞机落地，带着这一卷经，赶去医院，在弥留的父亲床前读诵，一遍一遍，一字一字，“不惊、不怖、不畏”，一直到父亲往生。

因为父亲往生，因为王玠的发愿，因为这一卷《金刚经》，仿佛开始懂一点什么是“一切难舍”。许许多多舍不得，有《金刚经》的句子陪伴，一次一次，度过许多“难舍”的时刻。

或许因为王玠的发愿，我也开始学习抄经，用手一个字一个字抄写。

抄写，比阅读慢，好像可以比阅读更多一点刻骨铭心的感觉吧。

我看过许多手抄《金刚经》，明代董其昌，清代金农，近代弘一大师，都工整严谨。我知道自己做不到那么好，无法做到那么恭谨，但很想开始试一试。

二〇一三年夏天去温哥华，过东京，在鸠居堂买纸，看到专为手卷制作的唐纸，两手指粗一卷，外面用红纸封着。价钱不低，我想数量应该不少，用来抄一卷《金刚经》或许够用。

到了温哥华，打开来看，发现一卷里只有两张，极古朴的纸，托墨而不喧哗。但是两张纸，抄写不到四分之一，纸已用完了。

我嘘一口气，觉得遗憾吧，没想到第一次发愿抄经，就阻隔在纸不够用，无法完成。

隔几天，读经读到“法尚应舍，何况非法”，哑然发笑，知道自己还有这么多执着挂碍。看到有类似的纸，不那么细致，但是本意原是为抄经，就不想许多，把纸裁成长卷，纸色不同，质地也不同，接在一起，好像也不称。但还是想为亡父母抄一次经，好像也不计较许多了。

每天抄一段，整卷经抄完，约八百厘米长。回到台湾，交给清水苏先生装裱，让他伤了脑筋，把纸色不一、质地不一的八张纸连接在一起，做成了一手卷。

舍得

第一卷《金刚经》抄写完，觉得很开心，我因此习惯了在旅途中抄经。

二〇一三年年底，从东南亚去巴黎、伦敦，再回曼谷，一路又抄了一卷《药师经》。因为要带在身上走，因此选择了可以在旅途中用的简便工具：一锭小墨，一片很薄的砚石，一支大阪制的小毛笔“五十余川”，都轻便不占空间。

多年前游黄山，在山脚下一青年工房看到一片歙砚，黑色，没有雕琢。粗粗一块手掌心大的石片，稍经磨平，还留有石纹肌理，一端设一浅浅水盂。我喜欢这样没有雕饰的砚，仿佛随时回到溪涧，还是一块石头，等待溪水回荡。

制作的青年石工也喜欢，交给我时说：很轻，可以带在路上用。没有想到有一天我真的带在路上用了。

通常，到一城市，进旅馆房间，习惯先烧一截艾草。焚香，坐下来，在砚石上滴水，磨墨，开始抄一段经。抄完经，会觉得原来陌生的房间不陌生了，原来无关的地方，空间、时间都有了缘分。像桌上那一方石砚，原来在溪涧里，却也随我去了天涯海角。

清迈屏河边有一小民宿，流水汤汤，一屋子都是婆娑树影，很宽大的露台。面对着河，大花紫薇和金急雨摇晃迷离，如天花乱坠，我就在花影中抄经。

无明

二〇一四年年初，因为画展，联络一位许久不见的朋友。我找她帮忙，不巧接到电话时，她刚从医院出来，刚被医师宣布眼疾，濒临失明，要动一个危险性极高的手术。电话另一端，她的声音喘息无助，旁边都是车子喇叭声。我知道此时无论怎么安慰，说多少次“不惊、不怖、不畏”，其实都无济于事。

那几天晨起诵经，心里就想，或许可以顺便录音，给这位有失去视觉恐惧的朋友听。如果失去视觉，我们还可以听吧。

我找云门郭远仙，他是弄大舞台的，替我在家里装设简便录音器材，我可以自己操作。如此就连着几天，录了五六个清晨的读诵，交给有鹿文化的朋友剪辑整理。

我当时担心我的声音不够清明安静，想到京都永观堂的钟声，曾经远远传来，让我在吵闹街头匆忙间忽然停下来，仿佛心里有声音呼唤，可以暂时放下身边许多“舍不得”的焦虑。也刚好悔之有日本友人热心，就帮忙录了永观堂钟声来，剪辑进去。听的时候，有一声声的钟声回荡，提醒我“舍得——”“舍得——”。

《金刚经》录好，原要把原声带交一份给为失明恐惧的朋友，她却说，手术意外成功，奇迹似的好了。我想，有这奇特因缘，心中有祈愿，也就发行，普施给需要的人吧。

《金刚经》抄写、读诵，都有我不知道的因缘。

有鹿文化的煜帏费心帮忙很多，他去法鼓山找师父查证，我读诵的《金刚经》是古高丽版本。

“啊，是吗？高丽版本？”

我才想起，是啊，那一册黑色封面古朴木刻刊印的《金刚经》，是多年前郝明义所赠，他与韩国是有渊源的。

我每次读到刊刻人的名字崔瑀，有上将军、上柱国的爵位，封晋阳侯，却没有细想，原来是相当中国南宋末、元初的高丽史上重要的权臣。

查了一下资料，崔瑀似乎杀人无数，在政治斗争里，他连手足亲人也不放过。然而刊刻《金刚经》发愿，他的愿望是“破诸有相，共识真空”。

我读《金刚经》，抄《金刚经》，漫漫长途，有多人护持，可知或不可知，都让我一路走来，时时省思因果。

含笑

一路校稿，仿佛又再一次去了清迈无梦寺，再一次去了秋天枫林迷离璀璨的永观堂。

然而这次是草津了，在一大片落羽杉林间徘徊，即将白露，树木梢头、草丛间，都一片银光迷蒙，细看是针尖大的露珠，连成一片，让我想到“白露为霜”的句子。但日出之后，处暑艳阳，白露也就一一消逝了。

许多诗句也都是季节的不舍吧，舍得，舍不得。

从草津回东京，只在上野停一晚，一清早到法隆寺宝物馆看思维菩萨，看金铜敲锻镂空的顶幡，看了多次，还是舍不得。

上野美术馆正举办台北“故宫”的国宝展，贴在大门口的海报，有汝窑温酒的莲花碗，有《寒食帖》。我相望一笑，想到四十年前跟庄严老师上课，可以一下午只看这一件书法，只看这一只碗，好奢侈；但也觉得：看过了，也都可以舍得。

走进东洋馆，展示柜里一卷《潇湘卧游图卷》，这是近代跟《寒食帖》一起流到日本的南宋名作，当时归菊池惺堂收藏。

一九二三年关东大地震，菊池在危难中从火场抢出两卷书画，一是《寒食帖》，另一件就是《潇湘卧游图卷》。

《寒食帖》后来回归台北“故宫”，《潇湘卧游图卷》留在日本，被定为国宝。

这是近代书画史上著名的传奇故事。这次《寒食帖》从台北去东京展出，被定为国宝的《潇湘卧游图卷》也因此展出，仿佛它们缘分未了，也是对惺堂先生舍命传奇的纪念吧。

整个展场没有太多人。我在《潇湘卧游图卷》前徘徊流连，想到《金刚经》的句子：“不可思议”。山水可以如此无碍，虚实牵连不断；墨色可以如此淡如烟岚，若有若无；留白可以如此洁净空明，不着痕迹。小如孑蚁的人，小如粟米的房舍，细如发丝的一线桥梁，我一一看过，也随看随忘，仿佛没有看过。还是《金刚经》说的：“斯陀含，名一往来，而实无往来。”

惺堂先生当年舍命抢救的一卷画作，就在面前了。第一次与这件名作相见，许多老师当年的叙述讲解都忘了，许多看过的资料考证都忘了，许多高画素的精细局部复制都忘了。原来《潇湘卧游》可以好到忘了一切琐碎，不可考证，不可复制，就只有一卷，是要这样素面相见。

没有舍得，没有舍不得。

走出美术馆，宽永寺的钟声响起，不忍池里夏末荷花摇曳，花瓣张开，露出巨硕莲蓬，一粒一粒莲子掉落池中，下一个春末还会生根抽芽吧。

高大银杏树丛里有寒蝉凄切的声音。高亢的嘶叫，到了尾音，总是哀婉如泣如诉，声音拖得长长的，那么多不舍，那么多舍不得。

回台北之后，已过中秋，还是炎热。

我走到知本，乐山旁有清觉寺，大殿楹联还是源自《金刚经》的句子：

清净即菩提，须知菩提本来净

觉心原无住，应从无住更生心

清晨礼佛毕，在庭院散步。中庭有几株高大含笑，都有近百年树龄。日出前后，含笑都还含苞，庙中老师父手持长竿，在浓密树丛间找花。她年岁太高，眼睛不好，我就指给她看，“这里——”“那里——”，她把含笑一一带枝叶钩下，用盘盛装，供在佛前。

二〇一四年九月十二日蒋勋于台东知本清觉寺

目录

Contents

Contents

目录

無我相
無人相
無衆生相
無壽者相

·卷一·

回头

回头

生命如果不是从一点点小小的欢喜赞叹开始，大概最后总要堕入什么都看不顺眼的无明痛苦之中吧。

时光

秋天赏枫的季节，好几次在京都。几星期，一个月，好像忘了时间。好像春天才刚来过，同样的山，同样的道路，同样的寺院，同样的水声，同样的废弃铁道，同样的水波上的浮沫，同样的一座一座走过的桥，桥栏上的青苔，回首看去，那桥栏，不是刚才还铺满落花吗？然而只是一回头，落花都已一无踪迹，已经是满山的红叶了。水渠清流里也都是重重叠叠的红枫落叶，随波光云影逝去。每一次回头因此都踟蹰犹疑，害怕一回头一切繁华都已逝去。

已经是秋深了吗？

一个地方去的次数多了，常常不知道为什么还要再去。

一去再去，像是解脱不开的一世一世的轮回转世吗？

“无明所系，爱缘不断，又复受身。”常常说给朋友听的源自《阿含经》的句子，或许是提醒自己于此肉身始终没有彻底了悟吧。

为什么还要有这一世的肉身？为什么肉身还要一次一次再重来这世间？为什么还要一次一次再与这么多好像已经认识过的肉身相见？

“爱缘不断”吗？总是切不断的牵挂爱恨，像一次一次地回头。回头时看到漫天花瓣如雪花飞舞；回头时，水渠里满满都是飘落的樱花；回头时，樱花落在风中、水中、尘泥中，化乌有而去。残枫红艳如血，触目惊心，也只是肉身又来了一次吧。不堪回首，仿佛回首时，只剩斑驳漫漶、沉沉墨色里一方令人心中一惊的朱红印记，还如此鲜明。

一个地方，来的次数多了，来的时候好像没有特意想看什么，不想做什么，不想赶景点行程，随意信步走走。有时候就在寺町通一家叫 Smart 的咖啡店坐一下午，白头发的老板慢悠悠地煮着一杯咖啡。

我来过，在这个角落坐过，看着一个青鬓白皙的青年这样慢条斯理地调理咖啡，留声机还是那一首歌。

可以这样坐着，把时光坐到老去吗？

那年轻侍者把咖啡恭敬放在桌上，说了一句我没有听懂的话。

“无明所系……”啊，是因为不懂，所以要一次一次重来吗？看不懂，听不懂，无法思维；以为懂了，并没有懂，只是在巨大的无明中，要一次一次重来，做没有做完的功课。

4

禅林寺

上一个秋天，有一个月的时间在京都，正是红叶最盛的时候，游客满坑满谷。我想还是避开所有人多的景点，不如往郊外人少的地方去。但是有一位朋友年中突染重病，昏迷了十二天，亲人从国外赶回来，也都不能唤醒。十二天后却奇迹似的好了。清醒以后，虽然虚弱，却也头脑清楚，没有什么后遗症。医师也觉得是万幸，不可思议。

这位朋友知道我去日本，就顺口要我替她到佛前一拜，也没有指定哪一所寺庙。我当下想到京都禅林寺永观堂的回头阿弥陀佛那一尊像，供奉在释迦堂瑞紫殿的这尊像七十七厘米高，与一般佛像不同，不做正面，而是由左肩回头，向后看。以前去过好几次，对这一件作品印象很深。

《阿弥陀经》说，“从是西方，过十万亿佛土……”，那是遥远到我无法思议的空间啊。不可思维、不可议论的国度。“其国众生，无有众苦，但受诸乐……”那是在遥远不可思议的地方享有一切安乐的国度吧。然而，为什么已经到那样国度的阿弥陀佛竟然都回头了？我心里想，如果连阿弥陀佛都回头了，是可以安慰这病苦劫难中重新回来的朋友的吧。私下心里发愿，这次京都一行，替她去永观堂佛前一拜，带一张回头的阿弥陀佛像给她。

许愿时没有特别想到永观堂是观赏枫叶的首选，这个季节去永观堂，会有多少游客挤在山门前，会有多少世界各地的观光客排长龙等待买票拜观。

我先去了高野山，在旧识的清静心院投宿两晚。下了山一到京都就直接去了永观堂。

永观堂前果然人山人海，长长一条排队买拜观券的游客队伍，找了很久，才找到尾巴。我一度想放弃了。真要在雨中排一两小时的队伍吗？刚一动念，随即发现自己许的愿，原来也如此轻率。只是雨，只是一两小时的等待，许的愿就可以轻易放弃，自己许愿的力量如此脆弱啊。想起《阿弥陀经》的句子："舍利弗，若有人已发愿、今发愿、当发愿，欲生阿弥陀佛国者，是诸人等，皆得不退转于阿耨多罗三藐三菩提。"

我想要退转了吗？

排队等候的时候，人声嘈杂沸沸扬扬。起初心乱，细听却也都是在赞美秋光、赞美红叶、赞美雨声。不同声音的欢喜赞叹，像一片和声。有的大概初次来京都赏枫，当然狂喜惊叫，赞叹连连，语言仿佛不足以表达心中兴奋激动。来过次数多的，或许就较安静，沉默微笑，看着不断惊叹的游客、用相机东拍西拍的初来者，也多还是点头微笑，仿佛赞赏地说——啊，真好，你也看到了。

生命如果不是从一点点小小的欢喜赞叹开始，大概最后总要堕入什么都看不顺眼的无明痛苦之中吧。什么都不对，什么都骂，结果世界并没有好转的机会，自己也没有好转的机会，只是一起向毁灭的深渊沉沦吧。

原以为这样挤在一堆游客间排队是苦差事，却意外看到很美的秋天：秋天的淅淅沥沥的雨，秋天雨中的枫叶，青绿、赭黄、金红，一片秋光，灿烂迷离如烟霞云雾。众人仰面赞美啧叹，初听嘈杂的声音，形成和声，高高低低，大大小小，远远近近，因为心中都是欢喜赞叹，便有了冥冥中的呼应吧，仿佛十万亿佛土的梵音。

因为下雨，进了禅林寺，在入口大玄关脱鞋，把鞋放进塑料袋中，撑着伞，弯腰解鞋带，都是艰难事。游客因此相互扶持遮雨，认识与不认识，都在玄关处进进出出，有了短暂擦肩而过的缘分。

禅林寺依山而建，最早是日本文人藤原关雄的私人邸所。藤原去世，这一处雅致的庄院就由五十六代清和天皇敕赐为禅林寺。藤原是平安时代日本权力核心的世族，清和天皇的皇后藤原高子就出身于这一家族。清和天皇死后，阳成天皇即位，也由天皇的舅父藤原基经摄政。权倾天下的世家，豪门的富贵，加上关雄文人雅士的向往，为这一所宅院建立了优雅的基础。

清和天皇贞观五年（八六三年），敕赐禅林院题额，使这一所寺院成为镇护国家的重要道场，全名是“圣众来迎山无量寿院禅林寺”。

永观

这所历经天皇敕封的护国禅寺，一直到第七世住持永观律师，做了几件对大众有深远影响的事，才被世俗大众通称为永观堂，成为家喻户晓的著名寺院。

永观律师据说身体孱弱，自己长年病痛，因此特别能体会为疾病所苦的大众吧。他在一〇九七年于禅林寺中设立了药王院，以汤药济度众生。

或许因为如此，使一所由天皇赐额、原来很皇家贵族气派的寺院，转变成了贩夫走卒平民百姓都可以来此求药拜佛还愿的寺庙。禅林寺的名字逐渐被淡忘，大家都以永观师父的名字来称呼这所寺院了。

永观律师最出名的传奇故事，是他在阿弥陀堂上念诵，或许一时心不专一，就看到阿弥陀佛显身，回头向他说：永观，你迟了。

这一流传久远的故事，使禅林寺因此创作了世间唯一一尊回头的阿弥陀佛像，以为纪念。

这一尊像与一般阿弥陀佛像并无太大不同，右手手掌向上向外扬起，食指与大拇指圈成法轮形状，持无畏说法手印。左手手掌向下，持施与说法印。佛身褒衣广袖，赤袒胸腹。身后有头光背光，背光有火焰流云纹，火焰流云中有飞天供养。阿弥陀佛像唯一特殊的是头部不做正面，而是向左肩身后转头探望。

以佛教教义而言，菩萨于世间有情，牵连挂念众生，因此常回世间。唐代敦煌帛画也常画引路菩萨，是丧礼中悬挂招亡者之魂的条幡，上画亡者肖像，前有菩萨引路，也是频频回首，仿佛担心挂念往生的漫漫长途上，跟随者步履艰难，跟不上进度。

佛与菩萨不同，已入涅槃，不受后有，因此应该是不会回头的了。

然而永观堂的阿弥陀佛意外回头了，成为传世唯一一尊回头的佛像。

永观律师因为自己的身体疾病，同体大悲，创建了药王院，可以济度众生肉身之苦。永观律师修行中一时的分心，也让阿弥陀佛在永世的寂灭

回头阿弥陀佛像

超然中动心动念，又回了一次头。

众生对永观律师的身体病苦之痛，对永观偶尔的分心涣散、不够精进，仿佛都没有嘲讽恶念；对他人的不幸，有许多感念原谅。我们是借着自己或他人的不完美，才给了自己更宽容的修行机会吧。

永观，你迟了。佛的声音如此督促鼓励。

在漫长的修行路上，或快或慢，或早或迟，其实都是修行，也都可以被包容顾念吧。

我挤在众多的游客间一殿一殿拜去，心里不急，也就不计较快慢迟早。

禅林寺在上千年间一直整建，建筑园林的布局空间依循自然山丘脉络走势，不像一般禅院那样规矩平板。走累了，可以停在水琴窟静坐一会儿，聆听若有若无的细细水声穿流过石窟孔洞。水流缓、急、快、慢，力度轻重变化，都在幽微石窟里构成仿佛琴音的水声。但当然是自己静下来了，才听得到这么幽静在有无之间的水声。台北“故宫”有南宋马麟的名作《静听松风》，风穿过松叶，静静震动松针，不是静到一清如水，是听不到这样细微的声音的。东方美学多不停留满足在人为的艺术层次上，人为的声响音乐，人为的色彩绚烂涂抹，最终只是领悟大自然的过渡与媒介，像《指月录》里说手指指月亮，手指的重要性太被夸张，可能看不见手指指向的月光，也忘了真正要看的不是手指，而是皓月当空。

水琴窟在日本许多寺庙都有，比叡山延历寺释迦堂前也有极幽微动听的水琴窟，水声说法，来的人或听到或无闻无明，各自有各自领悟的因果。

十六世纪初禅林寺修建了卧龙廊，把前方的释迦堂、瑞紫殿、御影堂，和后方的多宝塔、开山堂、阿弥陀堂，用长廊连接起来。长廊复道，有时凌空飞起，没有阻挡，也是眺望俯瞰山景寺院全局的最好景点。许多游客从此高处，看到整片飞红的秋枫，层林尽染，更是赞叹不止。

《阿弥陀经》说五浊恶世——劫浊、见浊、烦恼浊、众生浊、命浊，然而正是要在五浊中求阿耨多罗三藐三菩提。离此烦恼浊世，并没有修行，也没有真正的领悟。

永观律师的身体疾病，永观律师的分心，因此才如此为后来众生纪念吧。

我在出玄关前为朋友求了一张回头阿弥陀佛的像，在她大病初愈的案前，或许可以更让她安心吧。

永观堂钟声极出名，悠悠荡荡，东山一带，远近都可以听到。如果有缘，刚好遇到钟声回荡，许多路上行人都会回头张望，寻找钟声。永观堂钟楼虽远，其实最后回头寻找的人也都发现：钟声就在耳边。

灭烛，怜光满

最好的诗句，也许不是当下的理解，而是要在漫长的一生中去印证。『怜光满』三个字，在长达三四十年间，伴随我走去了天涯海角。

不知道为什么一直记得张九龄《望月怀远》这首诗里的一个句子——“灭烛怜光满”。

明月从海洋上升起，海面上都是明晃晃的月光。大片大片如雪片纷飞的月光，随着浩瀚的水波流动荡漾。月光，如此浩瀚，如此繁华，如此饱满，如此千变万化，令人惊叫，令人啧啧赞叹。

诗人忽然像是看到了自己的一生，从生成到幻灭，从满树繁花、如锦如绣，到刹那间一片空寂，静止如死。刹那刹那的光闪烁变灭，刚刚看到，确定在那里，却一瞬间不见了，无影无踪，如此真实；消逝时，却连梦过的痕迹也没有，看不到，捉摸不到，无处追寻。

诗人的面前点燃着一支蜡烛。那一支烛光，晕黄温暖，照亮室内空间一角，照亮诗人身体四周。

也许因为月光的饱满，诗人做了一个动作，起身吹灭了蜡烛的光。

烛光一灭，月光顷刻汹涌进来，像千丝万缕的瀑布，像大海的波涛，像千山万壑里四散的云岚，澎湃而来，流泻在宇宙每一处空隙。

“啊——”，诗人惊叹了，“原来月光如此丰富饱满——”

小时候读唐诗，对“怜光满”三个字最无法理解，光如何“满”？诗人为什么要“怜”光满？

最好的诗句，也许不是当下的理解，而是要在漫长的一生中去印证。

“怜光满”三个字，在长达三四十年间，伴随我走去了天涯海角。

二十五岁，从雅典向克里特岛航行的船上，一夜无眠。躺在船舷尾舵的甲板上，看满天繁星，辨认少数可以识别的星座。每一个星座由数颗或十数颗星子组成，在天空一起流转移动。一点一点星光，有它们不可分离的缘分，数百亿年组织成一个共同流转的共同体。

爱琴海的波涛拍打着船舷，一波一波，像是一直伫立在岸边海岬高处的父亲爱琴（Aegeus），还在等待着远航归来的儿子。在巨大的幻灭绝望之后，爱琴从高高的海岬跳下，葬身波涛。希腊人相信，整个海域的波涛的声音，都是那忧伤致死的父亲永世不绝的呢喃。那片海域，也因此就叫作爱琴海。

爱琴海波涛不断，我在细数天上繁星。忽然船舷移转，涛声汹涌，一大片月光如水，倾泻而来，我忽然眼热鼻酸，原来光最美的形容咏叹竟然是“满”这个字。

“怜”，是心事细微的震动，像水上粼粼波光。张九龄用“怜”，或许是因为心事震动，忽然看到了生命的真相，看到了光，也看到了自己吧。

一整个夜晚都是月光，航向克里特岛的夜航，原来是为了注解张九龄的一句诗。小时候读过的一句诗，竟然一直储存着，是美的库存，可以在一生提领出来，享用不尽。

月光的死亡

二十世纪以后，高度工业化，人工过度的照明驱赶走了自然的光。

居住在城市里，其实没有太多机会感觉到月光，使用蜡烛的机会也不多，张九龄的“灭烛怜光满”只是死去的五个字，呼唤不起心中的震动。

烛光死去了，月光死去了，走在无所不侵入的白花花的日光灯照明之下，月光消失了，每一个月都有一次的月光的圆满不再是人类的共同记忆了。

那么，中秋节的意义是什么？

一年最圆满的一次月光的记忆还有存在的意义吗？

汉字文化圈里有“上元”“中元”“中秋”，都与月光的圆满记忆有关。

上元节是灯节，是元宵节，是一年里第一次月亮的圆满。中元节是盂兰盆节，是普度，是把人间一切圆满的记忆分享给死去的众生。在水流中放水灯，召唤漂泊的魂魄，与人间共度圆满。

圆满不只是人间记忆，也要布施于鬼魂。

在日本京都岚山脚下的桂川，每年中元节，渡月桥下还有放水灯仪式。

民众在小木片上书写亡故亲友姓名，或只是书写“一切众生”“生死眷属”。点上一支小小烛火，木片如舟，带着一点烛光放流在河水上，摇摇晃晃，漂漂浮浮，在宁静空寂的桂川上如魂如魄。

那是我又一次感觉“灭烛怜光满”的地方，两岸没有一点现代照明的灯光，只有远远河上点点烛火，渐行渐远。

光的圆满还可以这样找回来吗?

岛屿上的城市大量用现代虚假丑陋的夸张照明杀死自然光。杀死月光的圆满幽微，杀死黎明破晓之光的绚丽蓬勃浩大，杀死黄昏夕暮之光的灿烂壮丽。

我们为什么要这么多的现代照明？高高的无所不在的丑恶而刺眼的路灯，使人喧嚣浮躁，如同噪音使人发狂，岛屿的光害一样使人心躁动浮浅。

光被误读为光明，以对立于道德上的黑暗。

浮浅的二分法鼓励用光明驱赶黑暗。

一个城市，彻夜不息的过度照明，使树木花草不能睡眠，使禽鸟昆虫不能睡眠，改变了自然生态。

黑暗不见了，许多生命也随着消失。

消失的不只是月光、星光，很具体的是我们童年无所不在的夜晚萤火也不见了。

萤火虫靠尾部荧光寻找伴侣，完成繁殖交配。童年记忆里点点萤火忽明忽灭的美，其实是生命繁衍的华丽庄严。

因为光害，萤火虫无法交配，光明驱赶了黑暗，却使生命绝灭。

在北埔友达基金会麻布山房看到萤火虫的复育，不用照明，不用手电筒，关掉手机上的闪光，萤火虫来了，点点闪烁，如同天上星光。同去的朋友心里有饱满的喜悦，安详宁静，白日喧嚣吵闹的烦躁都不见了。

“灭烛怜光满”，减低亮度，拯救的其实不只是萤火虫，不只是生态环境，更是那个在躁郁边缘愈来愈不快乐的自己吧。

莫奈的《日出印象》

欧洲传统绘画多是在室内画画，用人工的照明烛光或火炬营造光源。有电灯以后当然就使用灯光。

十九世纪中期有一些画家感觉到自然光的瞬息万变，不是室内人工照明的单调贫乏所能取代，因而倡导户外写生，直接面对室外的自然光。

莫奈就是最初直接在户外写生的画家，一生坚持在自然光下绘画，寻找光的瞬间变化，记录光的瞬间变化。

莫奈观察黎明日出，把画架置放在港边，等待日出破晓的一刻，等待日出的光在水波上刹那的闪烁。

日出是瞬间的光，即使目不转睛，仍然看不完全光的每一刹那的变化。

莫奈无法像传统画家用人工照明捕捉永恒不动的视觉画面，他看到的是刹那瞬间不断变化的光与色彩。

他用快速的笔触抓住瞬间印象，他的画取名《日出印象》（*Impression,*

《日出印象》莫奈

soleil levant），他画的不是日出，而是一种“印象”。

这张画一八七四年参加法国国家沙龙比赛，没有评审会接受这样的画法，笔触如此快速，轮廓这么不清晰，色彩这么不稳定，这张画当然落选了。

莫奈跟友人举办了落选展，展出《日出印象》，报道的媒体记者更看不懂这样的画法，便大篇幅撰文嘲讽莫奈不会画画，只会画“印象”。

没有想到，“印象”一词成为划时代的名称，诞生了以光为追寻的“印象派”，诞生了一生以追逐光为职志的伟大画派。

石梯坪的月光

石梯坪在东部海岸线上、花莲县南端，已经靠近台东县界。海岸多岩块礁石。礁石壁垒，如一层一层石梯。石梯宽阔处如坪，可以数十人列坐其上，俯仰看天看山看海。看大海壮阔，波涛汹涌而来，四周惊涛裂岸，澎轰声如雷震。大风呼啸，把激溅起的浪沫高扬在空中吹飞散成云烟。

我有学生在石梯坪一带海岸修建住宅，供喜爱东部自然的人移民定居，或经营民宿，使想短期远离都会尘嚣的游客落脚。

我因此常去石梯坪，随学生的学生辈扎营露宿，在成功港买鱼鲜，料理简单餐食，大部分时间在石梯坪岩礁上躺卧坐睡，看大海风云变幻，无所事事。

石梯坪面东，许多人早起观日出，一轮红日从海平面缓缓升起，像亘古以来初民的原始信仰。

夜晚在海边等待月升的人相对不多，月亮升起也多不像黎明日出那样浩大，引人敬拜。

我们仍然无所事事，没有等待，只是坐在石梯坪的岩礁上聊天；但是因为浪涛声澎轰，大风又常把出口语音吹散，一句话多听不完全，讲话也费力，逐渐就都沉寂了。

没有人特别记得是月圆。当一轮浑圆明亮的满月悄悄从海面升起，无声无息，一抬头看到的人都“啊——”的一声，没有说什么，仿佛只是看到了，看到这么圆满的光，安静而无遗憾。

初升的月光，在海面上像一条路，平坦笔直宽阔，使你相信可以踩踏上去，一路走向那圆满。

年轻的学生都记得那一个夜晚，没有一点现代照明的干扰，可以安静面对一轮皓月东升。我想跟他们说我读过的那一句诗——灭烛怜光满，但是，看到他们在宇宙浩瀚前如此安静，看到他们与自己相处，眉眼肩颈间都是月光，静定如佛，我想这时解读诗句也只是多余了。

星垂平野阔

月初，清澈天宇上一弯幽微新月，到了月中，港湾上明月圆而浩大，许多人停留，许多人回头。这样圆满的光华，让人想起张九龄的句子『不堪盈手赠』……

森林

这个城市[1]得天独厚，从市中心步行十分钟左右就有一个森林公园，是一百多年前立国之初就划定保护的原始森林。

初次一个人走进森林，不多久就开始有一点恐惧。没有路，没有行人，走一小时，都是红桧、雪杉、扁柏一类的巨木。树木高大参天，每一株都有近十层楼高，下端树围粗壮，要三四人才得合抱。夏日盛暑，一走进森林，便觉清凉阴暗，弥漫着新生与腐朽植物的浓郁气味。

在人口密集的地方生活惯了，一旦回到自然，没有人依靠或依赖，就会有恐惧感吧。

① 指加拿大的温哥华市——编者注。

都市里的人因此愈来愈害怕自然，都市长大的孩子，没有亲近自然的经验，父母也常告诫：自然处处都是危险，用一道一道的防护围栏把人与自然隔开。

人类的文明或许已长久遗忘了与自然相处的记忆。没有多久以前，大航海的冒险者，穿越大洋，进入冰原丛林，与猛兽搏斗，披荆斩棘，在一片蛮荒中求生存立足之地，大概时时都是危险，处处也都是危险吧。

台湾是移民的社会，移民之初，筚路蓝缕，也一样是在冒险中求一线生存，没有人会因为危险停止前进。

这一片原始森林，留在已经繁华的现代都会旁。两个月来，我每天在森林里行走。从没有路开始，逐渐找到一条一条小径；从恐惧迷失的胆怯，到懂得用各种标记方法测知自己的位置方向；从一个小时就开始恐慌，到走四小时不觉得迷失。我的身体好像重新呼唤起了一点还存在的与自然相处的记忆基因。

许多小径掩藏在巨树林间，弯弯曲曲。走的人少，就被蕨类藤蔓迅速遮盖。看起来没有路，却都有人行走过的痕迹。小径依照自然的生态高低左右发展，遇到溪流，就有横倒的树可以跨越；遇到巨石陡岩，就转向绕弯。自然生态本来不是依照人的意志完成，河流截弯取直，好像人定胜天，也常常造成不可知的自然反扑。生态异变产生的巨大灾难，近几年愈来愈多，愈来愈明显，未尝不是一种警告。

从台北“故宫”里北宋立国初期范宽的《溪山行旅图》巨幅立轴，看得到一个文明面对自然的庄严敬重。大山陡立笃定，一线飞瀑直泻而下。近景下端三分之一的土丘，有行旅走过。人和驮物的驴都小到不容易发现。宇宙巨大辽阔，人的存在如此渺小，只是永恒宇宙里偶然走过的行旅、过客。个人的哀、乐、悲、喜，不足挂齿；个人的惊叫、怨怒，得意或失意，在大宇宙里也都是微不足道的琐碎唠叨。一整个夏季的蝉嘶，一整个夜晚池塘的蛙鸣，如此鼓噪，却一样是天地都寂静。

森林里的条条小径，引领我走向沼泽、池塘，引领我走向清澈湖水，引领我走向低洼湿地，引领我走向岩礁或沙滩。许多不同的小径，像《溪山行旅图》里攀爬迂回在大山里许许多多不容易发现的路，都有人在走，都有生命在活跃，生生灭灭。

森林里走久了，很容易发现自然中生命的循环。一株新生的松柏，它的根须下总是扑倒着一株巨大的枯木。有时候新树已经长成一人合抱粗细，下面的枯树腐朽风化，碎成木渣微尘，初看以为是土丘，是蚁穴，仔细辨认，是一株死去的巨木，或被雷火劈倒，或被虫噬吃，死去了，把身体腐化的养分供给一株新树成长。

自然的原始森林，其实不是只供游玩休闲，也许更重要的意义是让远离自然的现代人重新再做一次生命的功课吧。

唐宋以来的山水画所以并不是风景，而是走向大山大水、宏观宇宙的一部自然哲学。诗人、画家不走出去，挤在都会中，琐碎唠叨得失，或关在书房画室，斤斤计较毛笔皴法，早已失去山水美学的本质精神。

《溪山行旅图》 范宽

南宋以前，山水中的人物极少是文人，绝大多数的行旅是庶民，是市井贩夫走卒。他们真实行走劳动于山巅水涘，生存拼搏于大山大水的艰难险境，不会在安逸书斋画室中玄想虚假的宇宙自然。

南宋以降，如马麟的《静听松风》，已是文人意境，与范宽大山水中行旅奔行于长途、流浪放旷的生命力度已大不相同。等而下之，挤在都会人群中，日日琐碎唠叨，更不可能有大山水的气度。

唐人诗多有出行塞外的苍茫视野。“大漠孤烟”“长河落日”，如此宏观宇宙，让人心灵起大震撼。即使杜甫，如此关心人世苦难，胸怀里也还有“星垂平野阔”的宇宙向往。都会人群，只是斤斤计较平仄韵脚，汲汲于口舌是非，其实无法想象大创造的气度。

日日走在森林，除了参天巨木大树，也会看到树干上寄生藤萝，树脚根洼下阴湿处蕨类苔藓蔓延，雨后腐叶重叠，朽烂间抽出各种菌菇。大宇宙的磅礴生命，包容大，也包容小；大小相依并育，秩序井然。生物物种环环相扣如锁链，彼此依存，彼此竞争，也彼此喂养，在生生灭灭中形成循环。天何言哉，四时行焉，百物生焉。一个古老的文明是从静观自然中领悟了生命智慧。如果长时间远离自然，文明还会剩下什么？

在范宽《溪山行旅图》面前，我的欧洲朋友问过：有这样的山水画，你们怎么这样破坏自然？

恒河沙

学生N传讯给我说：八月十二日可以观测今年最大的英仙座流星雨。他要从南边城市开车来载我，去更北边的冰川下看天河的光。我说：“你从南边来，要开二十多个小时吧。”他回答说：“才二十多个小时。”

英仙座是一星系，希腊神话英雄珀尔修斯（Perseus）奉命斩杀美杜莎（Medusa），美杜莎一头蛇发，看到的人都变成石块。珀尔修斯手持闪金盾牌，在盾牌镜面反光中看美杜莎，斩下她的头，解除公主魔咒，从人成神，英雄仙女升在天空，成为永恒星座。

我和N会合，一起朝向英属哥伦比亚省的北方去，过惠斯勒（Whistler），沿绿河（Green River），经过几个断崖瀑布，八月十一日抵达。八月十二日夜晚包了厚羊毛毯，到一片冰河下的草原，躺着看今年的英仙座流星雨。

一颗一颗拖着长长光的尾巴的流星划过夜空，密密麻麻的星云，一整条荧荧晃耀而又如此安静的银河划过长空。

时间的长或短，多或少，也许没有比较，都很主观。喜欢自然天文的N，说到的星系与光的数字常常都像《金刚经》所说无可计量的恒河沙。

《金刚经》说：“如恒河中所有沙数，如是沙等恒河，于意云何？是诸恒河沙，宁为多不？”一整条恒河有多少沙？佛陀问须菩提：“像一整条恒河所有的沙一样多的恒河还有多少？”

佛陀反复问：“须菩提，你觉得，所有恒河的沙，多不多？”

須菩提如恒河中所有沙數如
是沙等恒河於意云何是諸恒
河沙寧為多不

印度原始信仰里的数字很有趣，总是多到“无量、无数、无边”，可以算数计较的，都不是真正的多与大。

宇宙间不只一条恒河，世界宇宙，有多到如恒河沙一样多的恒河。

佛陀又说：“恒河尚多无数，何况其沙？”忙着算数计较一条河里无数的沙，然而，宇宙间像沙一样多的河流还有多少？

文明初始，不同的民族都开始仰望夜空，试图算数夜空里星辰的数量吧。印度原始信仰里仰望的夜空，与其他民族如此不同。

居住在一条河流旁，看着眼前的一条河流，却相信还有许多自己看不见的更多的河流。仿佛太阳系之外的太阳系，银河系之外的银河系。天文科学还没有找到证实的太阳系、银河系，在原始印度信仰里，不断提醒自己所见、所觉之外的“无量、无数、无边”。

光一秒钟的速度粗估行走三十万公里，相当于绕地球七圈半。只是一秒钟，我们一眨眼，光已经绕了地球七圈半。天文科学的数字，使人惊愕，使人无奈，像《金刚经》里佛陀说的恒河沙数。

停留不下来的光，科学家却一直实验，想让光能够停留。据说，一个德国科学家把光留在水晶里，留了六十秒，今年科学界都在盛赞他的成就。

那一束光，是被科学家努力“豢养”的光吗？

漫天流星雨，冰河广漠，静到如此，仿佛听到阒寂中只有星光划过宇宙的声音。

奈恩瀑布

从城市向北而去，一路都是冰川覆盖连绵不断的大山。过了大暑，过了立秋，那些沉厚的冰河，依然白皑皑，在阳光下闪亮。冰川的莹白和岩石的墨黑形成强烈对比。岩石峭壁向天耸立，像山的叫声，激昂高亢。一块块黑色巨石，刀削一般，从冰原上立起，直上数百米，如矛尖，像鹰隼的尖喙。最著名的“黑牙峰”（The Black Tusk）是原始部落数千年神话的圣山，也成为这一系山脉的标志。部落的人相信是神鸟带来惊雷骇电，这块巨岩也是神鸟的居所。仔细看会看到直上陡立的岩壁上有一黑点移动，是正在攀岩的人。他们常常在无立锥之地的光滑岩壁上攀爬。上不见天，下不着地，无可攀援，无处贴附，那时身体要学会最细致的“体贴”，和岩壁紧密依靠。

一个攀岩者告诉我，长“途”攀岩，他要学会贴在岩壁上睡觉。

洪荒自然，可以看到生命不同的修行方式，也学会向不同方式的存在致敬。

冰川上千万年积累切割，侵蚀摩擦岩层，融化的雪水混合石粉，使这一带河流湖泊都有绿蓝翡翠碧玉色泽。一条绿河蜿蜒流过，盈润翠蓝如宝石。绿河穿行在峡谷间，有时急流汹涌，有时开阔宽坦，依地形变化万千。若遇陡崖峭壁，一泻而下，形成百尺高落差的巨瀑，气势惊人（如 Brandywine Fall，布兰迪万瀑布），或在曲折岩壁上涓细潺湲，千丝万缕，低回缠绵（如 Shannon Fall，香农瀑布）。

加拿大奈恩瀑布

我最喜欢的一个瀑布是“奈恩”（Nairn Fall），高度落差不大，却是大水受岩礁阻挡封闭，五千万年间，水流凿石穿孔，瀑布由孔穴中激射而出，澎轰激溅，浪涛旋转，形成深潭壶穴，飞沫滔天，气雾烟岚弥漫，一绺一绺升腾回旋。因为水的冲击，壶穴近处，土壤被水冲刷，无寸草生存。岩石被水切割，棱棱块垒，堆栈转折，极像明末亡国上黄山的渐江僧。他的画里一无软弱的线，全是犀利净洁的石块岩盘，清澈透明如琉璃。渐江在明亡后曾经与新政权对抗，见大势已去，就削发入山，在山巅无人处与巨石岩壑对话。明月流星，只是岁月移转，无关兴亡了。

仿佛生命到了绝处才看得到光的停留。渐江画里留住的时光，也是水晶里为科学家停留了六十秒的光吗？

已过处暑，下一个节气将是白露了。

舍不得山，就趁最后夏日的尾巴又去一次落基山脉。在彭伯顿附近走若夫尔湖（Joffre Lake）步道，在大片松林间攀爬向上，约五小时，来到典型的冰原雪山湖泊。颜色一汪碧蓝，如孔雀尾羽，远远冰河覆盖，仿佛沉睡未醒的洪荒。总觉得那一夜天际流星的光，都在此地沉静安眠。

鸿雁长飞

纬度高的地区，时序过立秋，地上就有了落叶。白天不觉得，一入夜晚，就感觉到寒凉了。

有时候觉得人也像大雁，夏季长飞到北方，入秋过后，北方寒冷了，渐渐又飞回到明亮温暖的南方去。

小暑过后，每天散步的港湾森林入口、草地上、海滩湖水边、沼泽草丛里，都是大雁聚集。银褐色的羽毛，胖大的身躯，比一般畜养的家鹅还大。黑色的长脖子，脸颊一点白。缓慢踱步，也不怕人，成群结队，专心低头吃草，摇摇摆摆，走过的地上留着一条一条小指粗细的粪便。

落叶和粪便在入秋的几次雨后混杂成湿润的泥泞，晴日曝晒，飞成尘埃。不知不觉，大雁陆续离去，在天上飞成人字形队伍。地面上大雁身影愈来愈稀疏了，长夏灿烂夕阳，一日一日，也慢慢转成低沉浓厚的灰云。

我想起初唐张若虚《春江花月夜》长诗里让我咀嚼多年的句子——“鸿雁长飞光不度”。是说飞掠过江河消逝得无影无踪的大雁，却在河面上留下了没有带走的身影吗？

那有点像现代诗人用一片浮云投影波心譬喻生命的偶然吧。南飞的大雁无心，去无踪迹，河流却记忆着光影，像消逝在雨水湿润泥土中的落叶和粪便。消逝，常常只是我们的视觉看不见了，宇宙却还存在着不可知的因果。

我看不见大雁了，看不见长夏的灿烂夕阳，看不见落叶与粪便；然而，它们都还存在着。我的“看见”只是狭窄的执着吧。

张若虚的《春江花月夜》，写春天，写江水，写花，写月光，写夜晚。五个主题，像交响诗的五个旋律，交互对话。是江水与月光的对话，是月光与花的对话，是春天与夜晚的对话，是花朵与江水的对话。交错折射，循环婉转。一片迷离的光，不可捉摸的光。在一个时代刚刚开始的时刻，生命这么谦卑，作者没有“我”的执着，所以可以看见最幽微的光，意识到宇宙间光的饱满，意识到光的存在与不存在。

“空里流霜不觉飞，汀上白沙看不见”，初唐谦逊如此，可以知道月光里的飞霜和月光下的汀上白沙都存在，却可能“看不见”。如此安静而不喧嚣的存在，存在却仿佛不存在。

常常觉得要从《春江花月夜》开始去敬重一个时代安静而饱满的生命力。

江水浩瀚，月光浩瀚，如此静谧宽阔，那个春天的夜晚就有花绽放。

“江畔何人初见月？江月何年初照人？”两个“天问”式的句子。江边是谁，第一个看到了月亮？江上明月，哪一年第一次照映到人类？

活在人际的琐碎里，很难有“天问”式的对话。不与人对话，从人群走出去，与天对话，与宇宙对话，张若虚开启了一个时代精神上的浩瀚。

这个依靠在港湾边的城市，一百多年前便发愿应该有一个森林公园，就在城市中心，让所有城市的后来者知道这现代城市曾经是多么浩大无边的原始丛林。

历史或许不只是应该向“筚路蓝缕，以启山林”的开拓者致敬，历史或许更应该记得“山林”未曾开启时洪荒的伟大。

大雁来去，海鸥翔集，海狗与海豹时时从潮汐浪花里探头泅泳，鼬鼠与獾在眼前摇摆走过。

夜晚在这丛林散步，没有路灯照明，港湾湖边都没有高高的丑陋围篱防护，人在自然中，靠近海、靠近湖水、靠近月光星光，没有先预设自然是危险的，只有一些小告示牌提醒不要喂食浣熊鼠獾——它们是野生动物，不是宠物。

人把动物豢养起来，动物可能失去在自然中求生的能力；人，也可能丧失求生的能力。

然而，求生的意义何在？

习惯了在游客垃圾桶找食物的浣熊，它还是野生动物吗？

喂养动物有人的骄傲，是我喂养的，属于我。然而，自然万物或许并不计较相互的喂养，“野生”是坚持没有归属的自由吗？

我抬头看星辰，不知道星辰还在，银河还在。离开人的照明区域，走路十分钟，就可以看到银河。月初，清澈天宇上一弯幽微新月，到了月中，港湾上明月圆而浩大，许多人停留，许多人回头。这样圆满的光华，让人想起张九龄的句子“不堪盈手赠”，想起张若虚《春江花月夜》的“愿逐月华流照君”。

初唐诗人谦卑，月光浩大，但他们知道“不堪盈手赠”。所有壮丽的自然都是“不堪盈手赠”吧？像曾经仰躺在冰河下看到的银河，浩瀚无际，无量、无数、无边；像英仙座的流星雨，使人惊呼，使人低头祝祷，许愿。然而一瞬间的光，没有人可以留住，无所从来，亦无所去，没有归属。

那名科学家在凝视水晶里停留六十秒的光，如果不是水晶，导体是泪水，不知光会停留多久？

画眉深浅——一首诗的两种读法

在茫茫人海中，有一个可以这样低声询问心事的人，是多么大的幸福。

古人说："诗无达诂。"给予一首诗多样宽容的自由解读可能。诗的文字，常常不同于世俗语法逻辑，杜甫的"香稻啄馀鹦鹉粒，碧梧栖老凤凰枝"就是常被引述的例子，如此好的诗句，正是因为大胆重组了语法。

随时代不同，阅读古诗时，文字像光的折射，使阅读者产生创造性的新的意象。关心创作的诗人，读到一首古诗，心有所感，也会用当代的语法再去衍绎（或背叛）原作的题旨，产生更好的创作。

创作原本必须有活泼生机，僵死在注解、考证、一字一字的硬抠硬掰，也常常使一首好诗支离破碎，只是一具尸体，徒具躯壳，失了活泼生命。

古诗被选辑、注解，原是为了方便后来者阅读欣赏。但是过多的注解，浅薄的注解，也可能误导一首诗，狭窄僵化，使阅读者感觉不到诗的好处。

陶渊明的“好读书，不求甚解”，在学院某些教授眼中或许离经叛道，不够认真求证。但是，作为一个优秀的创作者，陶渊明的“不求甚解”正是要“每有会意，欣然忘食”，他要的是“会意”，不要被古书捆绑束缚住。

一首好诗被选读、被讲解、被用来做学校教材、被用来考试，会不会是一首诗死亡的开始？

用“诗无达诂”的说法来看诗，诗是不能考试的。考试需要答案，诗不一定有固定答案。

学生被权威压迫了，不敢反抗。为了通过考试，必须遵守教授指定的答案，“诗教”就面临灭亡。

《近试上张水部》

一首诗可以有两个答案吗？

朱庆餘被选在《唐诗三百首》里的一首诗大家很熟：

洞房昨夜停红烛，待晓堂前拜舅姑；

妆罢低声问夫婿，画眉深浅入时无。

诗写得极好，刚刚新婚的女子，结婚第一晚，洞房红烛高烧。第二天一早，等待破晓要盛装拜见公婆长辈。或许心里紧张忐忑，努力化妆还是怕不得体，最后低声问新婚的丈夫，眉毛画得深浅是否得宜?

距离一千多年，今天青少年读这首诗的文本，相信不会有太大困难。

在《唐诗三百首》里，这首诗的题目叫《近试上张水部》。

年轻人看到这样的题目，有一半的人可能搞不懂就跑了。

另一半人当中，有几个认真的，为求“甚解”，就查一查资料。

资料查出来，“张水部”就是张籍，也是唐朝一位大诗人。当时他在水部（主管水利的机构）做官，《全唐诗话》说是做水部郎中，也就是水部的正长官。一个宋朝人考证说是员外郎，应该是水部副手。

“近试”是朱庆餘将要参加考试了，他遇见从五品官的张籍，就把二十六首诗上呈给张水部。

《全唐诗话》说张籍很喜欢这些诗，自己看，也拿给其他人看，“置之怀袖，而推赞之”，很赞赏朱庆餘。

宝历二年（八二六年）朱庆餘就登科了，考中进士。

这样解读前面读到的一首好诗，内容可能完全改观。许多注解依据《全唐诗话》故事发展出如下的版本:

朱庆餘自比是新婚女子，要参加考试，害怕文章写不好，不能得到考场主试官（舅姑）的欣赏，因此先给张水部（夫婿）过目，希望对自己的诗文（画眉深浅）指点一下。

唐朝科考，有行卷诗、干谒诗的习惯，参加考试的学生，先把诗呈送给有官位的名人品题，拜谒权贵，获取提拔。

朱庆馀曾经献诗给张籍，张籍大为赞赏，也有回赠的诗。

这样的解读方式，成为许多教材的教学内容，掩盖了朱庆馀原诗充满生活情境、活泼佻达的可爱部分。

一名中学或大学的学生，在他们生命的青春时刻，按照“近试上张水部”的题旨读这首诗，一脑子想到的是考试、提拔，是攀附权贵名人求功名的心理，这首诗恐怕就要流失了原味，也很难让今天的读者喜爱感动吧。

因此《诗话》的故事可能帮助解读这首诗吗，还是变成了青少年进入诗的世界的障碍？

即使，朱庆馀是为了考试，把这首诗呈给张籍看，我还是相信他在写这首诗时，是经验到了新婚夜晚的温暖，经验到一个初婚女性见公婆前的紧张；他特别感受到刚成婚才一天的妻子如此信赖夫婿，化妆完，悄悄低声询问身边男子：眉毛画深了，还是画浅了？

“妆罢低声问夫婿”是这首诗里最动人的句子。在芸芸众生的世界，在许多可能挑剔责备的众人面前，一定要有一个可以相信的人，一定要有一个比镜子还能看清自己错误、让自己改正的人，一定要有一个人，你愿意全心依赖。

在茫茫人海中，有一个可以这样低声询问心事的人，是多么大的幸福。

希望一千多年后，今天的年轻人读这首诗，还可以感觉到人世温暖，可以努力寻找自己的幸福，见证自己的幸福。

唐诗比宋词、元曲常常更深入民间，因为它以活泼的生活为基础。许多男性诗人也可以委婉感受女性的心事，通达人情，写出闺意一类的美好作品。

今天的教育，反而如此回避洞房花烛、回避男女的私密情感，好像要有更繁难高尚的解释才足以有教学价值。

这首诗原来是一首闺意诗，或许因为朱庆餘见到张籍，拿诗给他看，礼貌上加了“近试上张水部”。但是，一定要去除洞房花烛的闺意实景，一定要回避夫婿的亲昵，硬要穿凿附会成考试、攀附、提拔，其实做小了一首诗的格局。

许多年幼时读的唐诗，慢慢咀嚼，最初可能依靠诗话、注解，慢慢会觉得回到诗的文本可能更百读不厌。

朱庆餘这首诗的文本就是那四句二十八个字，上千年来的考证注解可能都嫌累赘多余。

文字的注解看得厌烦了,有时我喜欢对着新出土的唐代女子塑像来看，看她弯月一样的眉毛，脉脉含情，仿佛正在询问夫婿：画眉深浅入时无?

想起一件曾经在日本展出过的唐代的女性供养人像，第一眼看到，直觉就想到了朱庆餘的诗句。

大方、健康，五官如此明朗，眉目皎洁干净，这样明亮又妩媚的女性在宋以后的画里不多见了，一下子呼唤起朱庆餘诗里那个画完眉毛转身向着夫婿的美丽女子。

供养人是在洞窟庙宇里供献佛像菩萨像的施主信众，敦煌壁画塑像里都有供养人，等于出钱捐庙的人把自己画在画里。早期供养人都画得很小，跪在佛菩萨前，显示一种信徒的谦卑。唐代的供养人逐渐变大，画工雕塑家也特别花费心思去塑造供养人的五官衣饰细节，保留了唐代文字上不容易读懂的头饰、发型、服装、化妆等等真实的样貌，供养人等于是当时真实的肖像。对着这些肖像，唐诗的许多文字描述就可能更为具体了。

近五十年间，古代文物出土愈来愈多，唐代的供养人、唐俑，法门寺地宫出土的金银器，许多墓葬中发现的女性钗环、织品、鞋袜，可能都是注解唐诗的好材料，或许会比固守着诗话、诗解更能让青年和大众进入唐诗的世界吧。

还君明珠

欣赏朱庆餘的张籍自己也是一位好诗人，他留下了一首在民间传诵广远的诗《节妇吟》：

君知妾有夫，赠妾双明珠。

感君缠绵意，系在红罗襦。

妾家高楼连苑起，良人执戟明光里。

知君用心如日月，事夫誓拟同生死。

还君明珠双泪垂，恨不相逢未嫁时！

这首诗从字面上看很容易懂：一个女性结了婚，已经有丈夫，但还是有人爱慕她，送了一对珍贵的明珠。

这样的开头已经挑战了爱情、婚姻、伦理、贞节多重的社会矛盾。在一个津津乐道小三事件的今天社会，张籍的这首诗也还是人性最好的自问自答吧。

女子的第一个反应是感动，已经结了婚，还是有人爱慕。婚姻并不是爱的禁忌，“感君缠绵意”，女子大胆接受了明珠，把这一对明珠贴身系在大红的罗襦上。

这样感动，接受了馈赠，珍惜馈赠，珍惜这爱慕，这是婚外情的开始吗？道德的诛心者或许已经要下笔批判了。

这首诗的好，其实是呈现了人性复杂矛盾的真实过程。

感动并不表示接受。

把明珠系在衣服上的女子，想到自己的家世教养(“妾家高楼连苑起”)，想到丈夫在公部门任职的身份地位（“良人执戟明光里”），隐约觉得这样接受馈赠爱慕的不妥。

一个人可以拥有纯粹完全的个人自由吗？或是人必须生活在社会性的习惯伦理中，遵守世俗共同的道德律法？

好诗好文学都不是答案，却是一种引发思维的过程。

讲完自己家世，讲完自己丈夫的身份地位，女子善良聪慧，即刻觉得这样是不是会伤到爱慕者的心。

张籍写出了女性最动人的委婉智慧,她对爱慕者说“知君用心如日月”,爱是可以这样坦荡无私的，爱是可以如此光明磊落没有非分之想的。即使对方有非分之想，也还是鼓励地说“知君用心如日月”，洁净宽容，如此大气。

这名唐代女子没有拒绝爱，她只是委婉地告知对方自己爱的是丈夫——“事夫誓拟同生死”，因为对丈夫的爱让她经历矛盾之后下了结论。

“还君明珠双泪垂，恨不相逢未嫁时”，在结婚以前，怎么没有认识呢？怎么没有缘分相识呢？

“还君明珠”与“双泪垂”其实是一种矛盾，是理解了生命必然的选择之后淡淡的无奈、淡淡的遗憾与怅惘。

深沉的文明都从理解遗憾、无奈、无常中一步一步走来，每一次生命的选择或许都怀抱着对所有不能选择之事物的遗憾吧。

因此生命才有泪，一部《红楼梦》也从还泪的故事开始。粗鄙刻薄的社会是不会懂还泪的意义的。

张籍的这首好诗也有一个奇怪的题目《寄东平李司空师道》，李师道是当时一个节度使，看上张籍的才干，要网罗他入幕做官，张籍不想去，就写了这首诗委婉拒绝。

这样的题旨使这首诗的解读又完全不同了：“妾”是张籍，“君”是李司空，“良人”是唐朝政府，“明珠”是李司空提供的官位。一首爱情诗就变成企业机关挖角的争夺战了。

诗当然有很多隐喻象征，这样的题旨解读留在诗的考试和教学里无可厚非。但是一首在今天对青年人有颇多情操感悟的好诗却可能因此流失了真正的价值。考试考对了，知道了张籍与李司空的关系，但是又何关文学的价值呢？

其实我连《节妇吟》这样的题目都不喜欢，加了“节妇”二字，这美丽的唐朝女子就要受后世批判了。明末作《唐诗解》的唐汝询就说：“还珠之际，泣涕连连，彼妇之节，不几岌岌乎？”

男人议论起女性贞节的时候都异常刻薄，唐汝询指责这女子归还明珠的时候还哭得“双泪垂”，可见贞节不坚定。

唐汝询对生命中的遗憾、抱歉、感恩都已不能了解了，如此做诗解也只是活生生把好唐诗都一一“尸解”了。

还是忘了这些“尸解”吧，回到出土的唐代女子身上，看一看她们对自己的健康大方明媚的自信吧，她们如同艳阳下的春日好花，使人相信一个文化曾经如此活泼过。

天涯何处——东坡词的生命意境

宋儒拘限，诗词甚少与自然天地对话的开阔胸襟。东坡『我欲乘风归去』，振衣直起，承接初唐飞扬精神。

宋词里最被大众喜爱的，无疑是苏东坡。柳永的词在北宋当时也流传甚广，“凡有井水处，必歌柳词”，他曾经是流行歌里最畅销的词曲作者吧。但是一千年过去，东坡文句的传唱之广，时间跨距之大，文句深入民间的影响力强度，都非柳词所能比。

“天涯何处无芳草”“十年生死两茫茫，不思量，自难忘”“明月几时有，把酒问青天”“人有悲欢离合，月有阴晴圆缺”“大江东去，浪淘尽，千古风流人物”“江山如画，一时多少豪杰”“人生如梦”……东坡许多句子，几乎成为家喻户晓的成语。连不识字的老妪老叟，也能朗朗上口。创作亲近大众，就不仅是在字句词汇上雕琢磨牙，而是用最浅白平凡的文字贴近真实的生活，不做作，不矫情，这才能随岁月淘洗，愈来愈在民间发生情感上广大的共鸣吧。

一千年过去，汉语词汇随不同时代的更新，历代有历代文风、用字特点。但是时间愈久，愈能看出东坡文字语言的平实。立足在语言最大的广度基础上，几经时代变迁，文句词汇还是历久弥新，没有过时落伍之感。“多情应笑我”五个字，既古典，又极现代。情至深处，回到平常心，是所有创作者最难过的一关。东坡过了这关，真实、简易、平凡，也因此能宽容，能豁达。东坡是聪明的，当然自负，也看不起一些人。但他也最能自嘲，看到自己的缺陷不足，在他人精明处糊涂。即使总有悲愤，总有贪嗔，也都可以在自嘲里化解。呵呵一笑——“多情应笑我”，是东坡自嘲，也是东坡坦荡，是东坡独自得意的喜悦，也是东坡孤独的苍然苦笑吧。

青春自喜——《蝶恋花》

《蝶恋花》是我喜欢的东坡作品：“花褪残红青杏小，燕子飞时，绿水人家绕。枝上柳绵吹又少。天涯何处无芳草。”

《蝶恋花》前半阕看来只是风景平铺直叙，作者走在风景中，东看西看，不那么着意写诗。看看凋零衰退的残红，看看刚萌生出来小粒的青杏，红绿相间，创作者对色彩有画家的敏感。暮春初夏，燕子翻飞，一弯绿水环绕着村落人家。

“燕子飞时，绿水人家绕”，放在白话里也是好句子；放在今天的流行歌里，也一样是好歌词，却平凡无奇，没有一点困难费力。不用典故，没有奇僻的字和韵。诗人看到风景，述说风景，风景自然到不需要妆点修饰。

宋人美学每每说“平淡天真”，但书画诗文上能做到的，其实没有几人。一卖弄就无法天真，一矫情刻意就无法平淡。

诗人在岁月里走着，有一点感伤柳絮在风里飘散，“吹”字用得极好，好像有一个无形的力量催促着时光。但是诗人本性是乐观的，他一涉感伤，很快就转圜出新的豁达——柳絮也是种子，不留恋枝头，就飘洒向天涯。“天涯何处无芳草”，像自嘲，其实是领悟生命的扩大。柳絮飘散，失去的既不可得，自然天地之大，生命无处不在，柳絮也会天涯海角落土生根。风景的平铺直叙，有了最后一句收尾，才有了提高，有了生命的意境，可以反复沉湎了。

《蝶恋花》后半阕很精彩：走在风景中的人忽然遇到事件，听到高墙里有笑声，有女子荡秋千的喧哗。墙外的道路，墙外的行人，一时徘徊踟蹰，陌生不关己事的风景活了起来。

“墙里秋千墙外道，墙外行人，墙里佳人笑”——东坡用的是现代电影蒙太奇的手法。萌芽于二十世纪初的蒙太奇是画面的剪接，把不同时空并列，让读者自己去拼图。东坡用了“墙里”“墙外”“墙外”“墙里”四个镜头，古诗词里叫“顶真格”，使原来无关的“秋千”“道路”“行人”“佳人”四个元素，产生钻石切面般的光的折射。

荡秋千的女子，道路上的行人，墙里的笑声，行人的窥探，牵连成有趣的关系。

东坡对人有关心，即使后来为小人陷害，坐了牢，常跟朋友说“多难畏人”，吃了亏，对人有了畏惧提防，但本性上还是喜欢亲近人。走在暮春的路上，听到墙里有女子荡秋千的欢笑声，忍不住想探头看一看吧。

东坡或许没有想到探头探脑惊扰了墙里的少女，一溜烟笑着跑了，留下他一个人，被误解了，或被骂了，有一点懊恼。这么美好的时光，他用带一点无奈的自我嘲弄方式笑一笑，解脱了自己——“多情却被无情恼”。

《蝶恋花》真好，词汇文句音韵都没有难度，但或许难在心境吧，难在诗人可以回头来做了这么真实的自己。对美有眷恋，对人有好奇，却生活在世俗间，要守世俗规矩，只好自嘲“多情”。诗词里这么直白地讲自己的贪嗔痴爱，一无隐讳做作，是东坡可爱处。极高明，却能道中庸；有深情，却能解脱；平易近人，东坡词所以千古以来令人喜爱。

清末学者王闿运批评《蝶恋花》说：“此则逸思，非文人所宜。”隔着墙头，听女子笑声，窥探女子荡秋千，学者正经八百，觉得东坡不守规矩。“逸思”是想入非非吧，王闿运不算太八股迂腐的学者，但还是告诫“文人”不宜。

东坡好像不那么刻意要做文人，文人还是要像人，像文人而不像人，也就无趣了。

《蝶恋花》的创作年代有不同说法，苏词编年常把这件作品归在东坡谪居惠州时作。这样编年大多是依据清代张宗橚《词林纪事》所引的一段故事：东坡在惠州，侍妾朝云唱《蝶恋花》，想到“枝上柳绵吹又少，天涯何处无芳草”，歌喉将啭，泪满衣襟。

朝云唱《蝶恋花》不胜哽咽悲抑，并不说明这首词一定是东坡在惠州所作。有时恰是因为一首旧作品，历经岁月沧桑，同样的句子，更能引人伤感。人到了六十岁，回头去听中学时的歌，即使歌词欢乐，听起来还是有岁月沧桑。东坡年老，谪居岭南，侍妾都去，朝云唱《蝶恋花》，或许触景生情，有更深的感怀吧。

以作品而言，《蝶恋花》文句情感青春喜气，接近东坡四十岁以前的得意洒脱，放肆不羁，甚至，带一点年轻时的调皮，春光明媚，鸟语花喧，还没有“乌台诗狱”大难以后的沉重。

东坡自在，做人大气，写字、写文章、画画，不拘泥规矩小节，行于所当行，止于不能不止，也就是美学的本来面目。

悼亡《江城子》正月二十日夜记梦

另一首东坡动人的作品是悼念亡妻王弗的《江城子》。遇到过许多不以文学为专业的朋友，谈起这首作品，词牌不一定知道，但是可以朗朗上口：“十年生死两茫茫，不思量，自难忘。千里孤坟，无处话凄凉。纵使相逢应不识，尘满面，鬓如霜。”苏词极好处，不需要注解，用心朗读，都有体悟，琐碎教授技法，反而离苏词远了。

王弗十六岁嫁给十九岁的苏轼（一〇五四年），他们是故乡的少年夫妻。从进京中进士，到进入官场，王弗陪伴东坡十一年。

一〇六五年王弗逝世，匆匆十年过去，在生与死的异路上，忽然梦中相遇了。作者坦荡地说："不思量，自难忘。"平常没有特别思念，但是十年夫妻，自然难忘。悼亡诗，悼亡原配的诗，写得如此真实，如此情深义重。"不思量，自难忘"是平实情感的真相，东坡自然道来，没有一毫做作。

文人情感浪漫，留恋歌妓姬妾的诗作多，为原配写的好作品难得。东坡回到了人的本分，直书结发之恩，朴素平实，却深情厚重，让所有的原配安心。

"纵使相逢应不识，尘满面，鬓如霜。"少年夫妻是红颜记忆，但是岁月飘逝，容颜换改，早逝的王弗，在路上相遇，怕也认不出东坡了吧。知己恩爱，也可能在岁月里成为陌路吗？

挚爱最怕无法相认，最亲密的人也可能一朝不能相认吗？

王弗十六岁新婚时美丽明媚，对着窗口阳光梳妆打扮，"小轩窗，正梳妆"。原配的美，不容易被唤起，东坡在自己"尘满面、鬓如霜"之后，记忆着王弗初婚的漂亮。

"相顾无言，惟有泪千行"，东坡四十岁，尚未经历为小人陷害的大难，但是青春恩爱伤逝，生命苍凉无奈，已使他泣不成声了。

《蝶恋花》是春日佻达欣喜，《江城子》伤逝悲郁荒凉，都是东坡。他走在漫长的生命途中指点岁月，或笑或哭，留下了好句子。

普世之愿——《水调歌头》

和悼念妻子王弗的《江城子》一样，为大众最广为流传、朗朗上口的东坡作品，还有中秋夜晚写的《水调歌头》。

东坡的《水调歌头》是中秋月夜醉饮的放怀之作，词前一序——“丙辰中秋，欢饮达旦，大醉，作此篇，兼怀子由”。

中秋夜晚，痛饮大醉，人生感悟，悲欢离合，说的是子由，也更是写天下众生的心境。从一己私情扩大，有普世的共鸣，“但愿人长久，千里共婵娟”，映照出生命的大愿望。文句如此浅白世俗，但是，愿深意重，可以完全不避俗世言语。

文学创作者多害怕落俗套，东坡却从不忌讳。文人高明孤僻，最终还是要回到庶民百姓俗世的谦卑。知道悲欢离合，众生都苦，愿望就是真心低头祝祷诵念，不会是自己文句的雕琢卖弄吧。

《水调歌头》朗读起来，跟《江城子》一样，流畅自然，没有拗口的疙疙瘩瘩。几乎可以不用看字，纯凭听觉都可以听懂。古典诗词中，经历一千年，还在大众间广泛流传被喜爱，没有几件作品可以做到。东坡立足于真实生活，他的美学核心也就是人的关心。

“明月几时有？把酒问青天。不知天上宫阙，今夕是何年。我欲乘风归去，又恐琼楼玉宇，高处不胜寒。起舞弄清影，何似在人间？”

李白被称为“谪仙”，东坡也是属于“谪仙”形态的生命。来人间一谪，只是贬谪，终究要回天上的故乡。李白独自在花间喝酒，没有人相伴，他也不屑跟乱七八糟的人喝酒，宁可“举杯邀明月”，宁可在最孤独寂寞时跟自己的影子喝酒。

东坡“把酒问青天”追溯到李白的自负与孤独，追溯到初唐张若虚“江畔何人初见月？江月何年初照人？”与宇宙对话的气度，也直接溯源到屈原“天问”的向天地发问。

儒家侧重伦理，过于重视人与人的关系，少了孤独感，少了向浩渺宇宙探究的“天问”精神；宋儒拘限，诗词甚少与自然天地对话的开阔胸襟。东坡“我欲乘风归去”，振衣直起，承接初唐飞扬精神。“起舞弄清影”，脱胎于李白“我舞影零乱”。孤独者在缭乱的历史里醉舞狂歌，知道自己的生命暂时走不掉，自嘲自怜，莫若回头跟影子相伴相随。

月光流转，穿透窗户，照着醉醒无眠的孤独者。孤独者说“不应有恨”，不应该有遗憾怨恨；孤独者向皓月发了大愿——月亮有阴晴圆缺，人也有悲欢离合，没有绝对的圆满，懂得接受遗憾，也就是圆满的开始，“但愿人长久，千里共婵娟”。大众喜爱东坡，因为东坡与大众有共同的生命的愿望，一般诗人或许不敢如此直白使用最世俗鄙俚的语言吧。

《江城子》与《水调歌头》都应该大声朗读，不用刻意，不用矫情，用最大众的声音。最日常平凡的声音，或许就是最贴近东坡的声音吧。

东坡四十岁写《江城子》，四十一岁写《水调歌头》，都是至情至性的作品，然而生命还有更大更难的功课要做。还有三年，他要遭逢大难，为小人陷害，关进牢狱，诗句一字一字当把柄，要置他于死罪。或许心中怀着普世的大愿，还要过生死一关，否则也难彻底觉悟吧。喜爱读佛经的东坡，要考验自己生死关头是否真能做到“不惊、不怖、不畏”。

从牢狱出来，下放黄州，从忧苦愤怒仇怨中走到大江之滨，东坡做完这一次功课，才有更坦荡的肺腑胸襟高声唱出“大江东去，浪淘尽——”天涯何处，东坡的创作还只走到中途。

元丰二年（一〇七九年）东坡为小人陷害，把他的诗句文集逐字逐句摘录，罗织罪名，认为他诋毁新政，讪谤君上，逮捕关押在乌台，交有司勘问，要判他死罪。

押解途中，东坡曾经企图自杀。关在牢中一百多天，文字狱牵连七十多人，最后有二十几人受罚，这就是历史上著名的乌台诗狱。因为写诗犯罪，对一向坦荡自适、洒脱自在的东坡而言，当然是他生命里最艰困悲苦的时刻。

但是对创作者苏东坡而言，这次莫须有的牢狱之灾或许也正是他生命境界转变的大关键吧。牢狱中东坡曾经写下绝命诗，寄给弟弟子由——

是处青山可埋骨，他年夜雨独伤神；
与君世世为兄弟，又结来生未了因。

东坡落难，在绝望困苦中，诗句也没有尖酸愤怨的字，对生命的缘分仍然一往情深。有世世为兄弟的缘分，有来生因果，小人尖刻残恶，是不用计较的吧。

乌台诗狱一百多天，李定、舒亶，逐字逐句勘问东坡诗词作品。他们像是在做严格评论，却不懂诗，历史不会记他们的名字。一千年来，大众记得的还是东坡诗里的平和温暖。

元丰三年（一〇八〇年）东坡经多人营救，免除死罪，下放黄州。一直到元丰七年（一〇八四年）离开，他在这大江之滨住了四年。

带着牢狱出来惊魂甫定的痛苦，在恐惧、焦虑、嗔怒、不平、委屈的情绪里纠缠着。一个创作者，心事烦乱污浊，然而，此时此刻，正可以跟自己做最深的对话。

初到黄州，心情郁闷，常常夜饮烂醉的东坡，在市集中为醉汉推骂的东坡，在孤独的月夜看着大雁惊飞的东坡，倚靠着手杖，听大江浩浩荡荡流逝的东坡，此时，他要做的功课，不再是文字的功课，而是生命的功课了。

《卜算子》——拣尽寒枝

缺月挂疏桐，漏断人初静。时见幽人独往来，缥缈孤鸿影。

惊起却回头，有恨无人省。拣尽寒枝不肯栖，寂寞沙洲冷。

《卜算子》有“黄州定慧院寓居作”几个字的副题。东坡在元丰三年二月到黄州，最初借居定慧院。五月以后，有人帮助他迁居临皋亭，经营东边坡地，才自号“东坡”。因此有人认为《卜算子》是东坡初到黄州的作品。

以《卜算子》的内容来看，凄厉、孤峭、荒寒，是黄州时期东坡作品最流露出不平、刚硬、孤傲情绪的一件。

刚出牢狱，夜晚无眠，残月疏桐，在漏断人静的寂寞中，幽居的人，独自来往。被惊吓飞起的大雁，影子一闪即逝。

“惊起却回头，有恨无人省。”心里有恨，没有人理解。这是无妄囚居之后东坡讲自己的心事。

“惊”之一字动人，是惊弓之鸟，是惊魂甫定，频频回首，小人酷吏，过了生死一关，东坡还是徒自心惊。

此时此刻，生命还有最后的坚持吗？拣尽寒枝，即使在最绝望中，也不随便妥协，也不蝇营狗苟。东坡如此豁达，如此温暖，却对污浊的政治陷害说了最尖锐刚烈的话——“拣尽寒枝不肯栖，寂寞沙洲冷”，孤傲自负，是生命决绝不肯随波逐流的明白宣告。

《卜算子》尖锐凄厉，感觉到诗人受伤以后的痛，感觉到他的愤懑委屈。在许多受无妄之灾的文人身上，都看得到同样尖锐犀利的嗔恨。

但是，东坡不同，东坡似乎应该有更大的格局去宽容生命的受苦吧。

凄厉尖锐，毕竟不是普世庶民的关心。比较起悼亡的《江城子》，比较起发普世大愿的《水调歌头》，《卜算子》并没有受到一般广大百姓最大的喜爱。

文人自伤自怜，也要适可而止。东坡尖锐凄厉后，很快有了转圜扩大。黄州四年，东坡留下了最好的作品：《赤壁赋》《临江仙》《寒食帖》《念奴娇》，文章、诗词、书法，都达到最高峰。“拣尽寒枝”之后，东坡没有一味酸苦，还是回到了平实做人的本分，好好生活。

《定风波》——也无风雨也无晴

也许，从生命的领悟来看，《卜算子》的尖锐凄厉，还是要向宽阔平和过渡。

比较起来，东坡的《定风波》显然是在“拣尽寒枝不肯栖”的孤绝之后，有了新的转圜扩大，有了不同生命层次上的觉悟吧。

我喜欢东坡在黄州给朋友写的信中的一段话，他说，在市集喝酒，为醉汉推骂，“自喜渐不为人识”。东坡年轻就有盛名，因为有名，容易沾沾自喜。名当然只是自己执着，到了乡下荒野市集，拉车卖菜的，谁知道你有名？市集里当然没有人认识东坡，喝醉了酒，跌跌撞撞，推倒东坡，还骂他两句。东坡大概最初也生气，但想一想，没有人认识他了——“自喜渐不为人识”，多么高兴，渐渐没有人知道他是谁了。

市集里醉汉的推骂竟然像佛法开示。《金刚经》是东坡常读的，“无我相，无人相，无众生相”，光读没有用，还是要在生活里参悟吧。别人推骂就生气，当然是“我相”“人相”都还执着，也就没有真正读懂《金刚经》。

东坡在黄州的作品常加一序，序白描事件，文句简洁，是好散文，《定风波》的序就很好——

三月七日，沙湖道中遇雨，雨具先去，同行皆狼狈，余不觉。已而遂晴，故作此。

半路途中，下雨了。雨具不在身边，同行的朋友淋了雨，很狼狈，东坡无所谓。不多久，放晴了，就写了这首词：

莫听穿林打叶声，何妨吟啸且徐行。

竹杖芒鞋轻胜马，谁怕？一蓑烟雨任平生。

料峭春风吹酒醒，微冷，山头斜照却相迎。

回首向来萧瑟处，归去，也无风雨也无晴。

东坡的凄厉伤痛好了，心境平和了，领悟到如果认定风雨是灾难，当然狼狈；如果风雨也可以是“穿林打叶”的韵律节奏，就不妨开心地长啸高歌，一路吟唱，慢慢走，当美好音乐来听。

晴日当空，是喜悦；风雨，也可以是喜悦。解脱了爱憎喜怒，解脱了自己分别好坏的执着，生命自然处处都是喜悦欢欣。

“回首向来”，像是说那一天走过的路，也像是说自己一生走过来的路。回头去看，漫漫长途，东坡做完了功课，知道晴是好日子，风雨也是好日子。

《定风波》与《临江仙》大约都创作在元丰五年（一〇八二年），在黄州过了两年，心情平复许多，经营了临皋亭一片东边坡地，完成了书房“雪堂”，安定了下来。这一年，东坡创作了一生最好的作品《定风波》《赤壁赋》《寒食帖》《临江仙》。

《临江仙》——倚杖听江声

夜饮东坡醒复醉，归来仿佛三更。家童鼻息已雷鸣。敲门都不应，倚杖听江声。

《临江仙》朗读起来，比《定风波》更为直白流畅，东坡又回到极为平常的生活的语言。《临江仙》的文句，像素描，简洁单纯几笔，勾勒出东坡在黄州生活平实而又真切的画面。

在东边坡地喝酒，醉了醒，醒了醉，回家已经半夜三更。家童沉睡，打呼鼾声像打雷，敲门都听不见，只好倚着手杖听江水潮声。

东坡的句子，不需要解释翻译，五个句子都像白话素描，“鼻息已雷鸣”“敲门都不应”，都不像诗句，颠覆了诗句一定要雕凿搞怪、刻意文雅的误解。

随缘度日，“敲门不应”可以懊恼抱怨，但也可以一转念就欣喜起来。

门外一条大江，正是好机会，可以倚靠手杖，静静听一听大江流去的声音。

生活摆脱了喜怒爱恨的执着，创作就可以自由了。东坡在《临江仙》里写当下的平凡生活，笔笔写实，却也笔笔都可以是隐喻。诗人刻意造作隐喻，往往容易偏离真实生活，失了生活的真实，也常常失了隐喻本意。

长恨此身非我有，何时忘却营营。

一生忙碌，却好像身不由己，都忙什么呢？

为别人做功课，做给别人看的功课，都不是最难的功课。最难的功课，通常是自己给自己的功课。

一次大灾难，过了生死一关，愧疚十口家人受累，弟弟贬谪，好友都遭牵连下放。东坡在黄州时给朋友写信，多无人敢回信，政治的恐惧牵连，可以理解。一般人也许会慨叹世态冷暖，东坡说“多难畏人”，害怕人，远离人，正是找到机会，好好给自己做一次孤独的功课。

这生命本来不是自己的，忙忙碌碌，总是为他人活着，什么时候能回来好好做一次自己？

夜阑风静縠纹平。小舟从此逝，江海寄馀生。

东坡还是在听江声。大江的声音，惊涛裂岸，像佛法梵音，一波一波。

他听到历史，听到历史的争战喧哗，听到输赢，听到得意者的笑、失意者的哭，听到灰飞烟灭，听到风平浪静，静到极致，心里响起历史上最动人的一段歌声——大江东去……

《念奴娇》——江山如画

大江东去，浪淘尽，千古风流人物。故垒西边，人道是，三国周郎赤壁。乱石穿空，惊涛拍岸，卷起千堆雪。江山如画，一时多少豪杰。

遥想公瑾当年，小乔初嫁了。雄姿英发，羽扇纶巾。谈笑间，强虏灰飞烟灭。故国神游，多情应笑我，早生华发。人生如梦，一樽还酹江月。

《念奴娇》有“赤壁怀古”四字注记，词句中也历说“三国周郎赤壁”，但也早已有学者辩证，东坡游玩的赤壁，并不是三国周瑜火烧曹军战船的赤壁。诗评诗注，有自己的兴趣。东坡看风景，并不执着一定是历史的风景。诗句里“人道是，三国周郎赤壁”，明明白白就是听村落人传说，东坡也无意考证辩论。

诗人的风景大多与历史无关，也与地理无关，诗人的风景就是自己心事的风景。

我听过北昆侯少奎唱的《关大王独赴单刀会》，关汉卿的词曲悲壮沉郁，尤其是《双调新水令》的“大江东去浪千叠……”，以及《驻马听》里的“水涌山叠，年少周郎何处也？不觉的灰飞烟灭……”，由老年关羽在船上唱出，慷慨苍凉。关汉卿也不管史实，三国关羽已经唱出宋词诗句，但在戏曲舞台上真是动人。一片大水，英雄老矣，看大江东去，想少年豪杰，意气风发，岁月逝水，创作者指点江山如画，却不必拘泥历史的风景。

“大江东去”是东坡创造的风景，与历史无关，也与地理无关，却一代一代传唱在人们口中，成为文化的风景、美学的风景。

南宋时陆游、范成大，都因为这首名作刻意跑到黄冈，实地考证东坡游的赤壁。他们很失望，没有看到“乱石穿空”“惊涛拍岸”，认为东坡诗句夸大，与实际风景不符。范成大说：“赤壁，小赤土山也。未见所谓‘乱石穿空’及‘蒙茸’‘峻岩’之境，东坡词赋微夸焉。”

诗人走在风景中，指点江山，后人多事，跟着去看江看山，多半是要失望的。诗人指点江山，也多是心境中的江山，与历史与风景都关系不大。

近年许多人拿着黄公望的画去找“富春山居”，也大多在富春江上灰头土脸。风景自然也有缘分，即使是好风景，有些人也是看不见的。

“大江东去”还是作为一种心事来看更动人。千古以来，时间淘洗，所有的生命都如逝水；曾经叱咤风云，横绝一世，最终都是灰飞烟灭。生命的领悟看得透彻，并不是沮丧悲伤：东坡在历史灰飞烟灭里仍然看到“江山如画”，看到多少豪杰的生命，如此年轻过、眷恋过、梦想过，曾经如此明媚华丽。

“遥想公瑾当年，小乔初嫁了”，这是东坡词最动人的跌宕欣喜。“遥想”“当年”——是青春回忆，是《江城子》的“小轩窗，正梳妆”，也

是《蝶恋花》的“墙外行人，墙里佳人笑”。东坡在落难沧桑之后，没有丢弃失去他的青春自喜——他看到周瑜在大历史里争霸，但他更愿意看到一个年少英雄新婚时小小的快乐。学者常说东坡词“豪放沉郁”，豪放沉郁，若不委婉，就显粗鲁。东坡的豪放里处处是委婉，豪放才有细致，沉郁中也才有光的层次，如他常说好书法在“收放之间”，创作能放而不能收，就容易流于夸张躁动。

东坡老矣，但生命里总是对美眷恋不忘。即使落难过，即使历经辱骂陷害，东坡本性的爱美依然如此华丽光明，不受污染，这才有“小乔初嫁了”这么干净漂亮的句子吧。

“谈笑间”“灰飞烟灭”，也都可以是民间口语。平凡的字句，一转瞬，就像偈语，都是领悟。

“多情应笑我”是我最爱的句子：生命自喜，有缘都是多情众生，也都可以在生命豁达处心心相印击掌哈哈一笑。

摸着满头花白头发的东坡，看清楚人生如梦的东坡，一杯酒祭奠江水，祭奠月光，诗人以酒还江，以酒还月，也以此身还于天地。“还酹”，“还”是感恩，“酹”与“泪”同音，诗人有泪，可以祭奠美，也祭奠岁月。感恩之时，诗人也是热泪盈眶吧。

《念奴娇》之后，东坡现实中几度浮沉，或贬岭南瘴疠的惠州，或贬蛮荒的海南岛儋州，然而他在认真做生命的功课：在瘴疠中赞美荔枝好吃，在蛮荒之岛静观领悟天涯海角的壮阔宏大。别人的惩罚折磨，一转瞬，都变成了生命的奖赏，东坡的生命无入而不自得了。

用七首东坡最为大众喜爱的作品，串联东坡生命的波折领悟。或许，最好的文学，其实也就是诗人生命的本相，大可不读诗评诗注，丢开一切典故格律牵绊，质朴大声朗读，或许这就是最亲近东坡的方式吧。

二〇三七年，将是东坡诞生一千年，世界或许应该纪念这样一个生命留在人间的美好声音吧。

若以色見我
以音声求我
是人行邪道
不能見如来

·卷二·

肉眼

我带了《金刚经》，晨起念诵，学习日本传统『声明』的方法，试着让自己的诵念与水声对话。水声与诵念若即若离，悠悠荡荡，但总不容易做到纯一一念。

水上

大暑过东京，都市人多楼高，更觉燠热。没有停留就转往高崎，搭上支线小火车，一站一站慢慢沿利根川向北行，大约两小时到群马县的水上小镇。

日本或中国台湾都一样，有了快速交通工具像新干线或高铁之后，许多快速火车不停靠的小村镇迅速被遗忘了。

普通的支线火车，车厢老旧，但仍维修得洁净平实。乘坐的人不多，车行速度缓慢。每一站停靠时间都长，好像一下子就被拉回到二十世纪六十年代的生活节奏，类似小津安二郎电影的场景就重新一一浮现了。

一站一站停靠的支线火车，乘客多是当地居民，彼此礼貌招呼：“早安！”“日安！”月台上穿灰蓝制服的站务员，车行前，脱下帽子，向将开行的列车深深鞠躬，灰白头发的身影在慢速度中远去，都像是持续三十年以上没有改变的仪式。

生活里有仪式，虽然有时觉得太多礼，比起失了秩序的社会，还是让人安心。

火车经过的村镇，虽然被有些人遗忘了，却都踏实而简朴。车窗看出去，依靠河岸，多是几户人家自成一个社区。老年的夫妇在菜田里工作，一畦一畦的菜圃，齐整干净，有生活的喜悦。每一家田地范围不大，大约也就是一户人家可以劳动照顾的空间。紧依菜田常常就是墓地，有黑色的一方一方的碑石，一样齐整干净。

老夫妇在田里工作，整理菜圃里的萝卜、包心菜。有时就近走到墓地，拔拔野草，擦擦碑石上尘土，在墓前供一两枝野花。

生死如此，一目了然，使人没有非分妄想。

大都市往往在生死间错乱了太多不相干的杂事，本末倒置，颠倒梦想，就不容易看清楚生死之间如此简明扼要的关系。

利根川是日本第二大河流，自北而南，流域贯穿关东平原，流经的地区多是农业重要的县市。火车沿川上溯，河道从平原的宽阔逐渐转为峡谷，岩层盘叠，山势也开始陡峭起来。

水上已是支线火车接近终点的地方，再下去就是日本重要山岳谷川岳的登山口，是著名的风景区，有名的草津温泉也在附近，水上离风景区拥挤人潮有一点距离，相对就安静一些。

水上居民不多，沿利根川峡谷建造的大型建筑多是观光饭店。有些侵占河谷，与自然景观并不协调。但不知是什么原因，或许观光过度膨胀，没有商人预期的利益吧，原来刻意建造的霸气旅馆有几家都荒废了，无人管理经营，被藤蔓盘踞，玻璃窗破碎，看来有些荒凉。

这里曾经是太宰治养病写作的地方，不知他是不是也看到了繁华过后没落颓废的荒寂，只有峡谷中的水声依旧——

水上到处都是水声，整个小镇跨在峡谷两侧，走到哪里都琤琤淙淙，潺湲不断快慢大小的水流声盈耳。

我住的饭店也建在峡谷岸边磐石上，躺在房间榻榻米上，或泡在温泉里，也一样水声丰沛充盈。长风从峡谷随水吹来，大暑前后，却全没有了热燥燠闷。

午后一场急雨，一夜的溪谷，川流汹涌，澎轰激溅，好像许多说不完的心事。

我带了《金刚经》，晨起念诵，学习日本传统“声明”的方法，试着让自己的诵念与水声对话。水声与诵念若即若离，悠悠荡荡，但总不容易做到纯一一念。

水上有著名诹访峡峡谷，河床是整块岩磐，被水雕镂侵蚀而成。利根川发源于大水上山的源头，经过奥利根湖，水势盛大，不断向下切割岩磐，很像太鲁阁大山被塔次基里溪侵蚀。

峡谷两侧看得见高水位时留下的水痕，一一记录在坚硬的岩磐上。水如何冲击、侵蚀、摆荡，如何回旋、婉转、淘洗，所有水痕的岁月都在岩石上，像一条河川在峡谷里说了它上亿年来几世几劫的爱恨故事，如此诉说不完，娓娓道来，仿佛跟清晨的诵经声纠缠着不可知的因缘。

肉眼

《金刚经》里，佛陀问须菩提："如来有肉眼吗？"须菩提说："是，如来有肉眼。"

我听到峡谷水声，水声当然就是水声了。肉眼所见的种种形色，肉身的耳朵所听到的声音，肉身的鼻腔所嗅的气味，肉身的舌根所尝之味觉，肉身的肤触感觉到的痛或痒，如来与众生也都一样吧。

那么，如来听到的水声也一样吗？

佛陀又问须菩提："如来有天眼吗？"须菩提说："是，如来有天眼。"

窗外谷川岳山巅犹有年前残雪，邻近居民说，水上冬季雪大，整个峡谷都被冰雪覆盖。我在旅邸厅堂也看到几张雪景的水上摄影，的确是白茫茫一片，与夏季绿色的蓊郁不同。

冰雪凝结，不知那时是否还有水声？

人的肉眼所见是有局限的，如果有机会从天地自然的高度去看，如果有机会以天眼看世界种种，或许会是很不一样的形色吧？

民间瞎子摸象的寓言来自印度，摸到尾巴说绳子，摸到肚子说墙，都是瞎子执着一隅的限制。他们肉身所见所触是真实的，却蔽障了天眼观照的全面，他们看不见完整的“象”。

《金刚经》法会上佛陀与须菩提关于肉眼、天眼的对话使我想了很久。

那些盈耳的水声，凝结成冰雪，听觉就不再是此时我肉耳听闻的状况了吧。

大暑前后晴日清晨，有机会看到峡谷几座山峦间一丝一丝山岚升起。云舒雾卷，那像是水的另外一种声音。川流之水若不奔流在陡峻峡谷崖石间，不翻腾成激溅的湍濑，而是升在空中，成雾成云，成霜雪雨露，也有各种肉眼所见的不同形色，那也会是如来天眼所见吗？

肉眼常有所蔽障，认定是水，就不能认识云、雾、霜、雪。

定义也常就是执着，画家画风景，要先取视角，用手指比划，找坐标焦点。

视角一旦固定，当然就是局限。肉眼见一树，无法见林。肉眼俯瞰山下，就无法仰观山巅，都是执着视角的局限。

执着于单一视角，往往就看不到宏观全局。但因为执着，无法检查觉悟到自己的狭隘限制，瞎子就要骂别人错，彼此争吵起来。

除非可以从肉眼扩大到天眼。

十一世纪的郭熙在《林泉高致集》里提出了平远、高远、深远的多透视点绘画观点，启发了宋代山水画从肉眼升高到天眼的视野。

视角受限于点，从视角的执着扩大，视野才有全面观照，宋元最精彩的长卷山水也才因此产生，从单一视点变成全局的浏览。

慧眼

佛陀继续问须菩提："如来有慧眼吗？"须菩提说："是，如来有慧眼。"

峡谷水声仍然潺湲不断。如果水凝结成冰、漂浮如雪，如果水升华成空中云岚变灭，我们肉眼所见、我们天眼所观，是不是也一样都受了限制？

慧眼可能是更深一层对色、受的透视吗？

静坐诵经，觉得潺潺水声像佛说法，有千二百五十人俱，可以是如此一次因缘道场。

十九世纪末，塞尚提出了线在视觉里不连续的观点，颠覆了欧洲美术传统观看事物外在形色的方法，颠覆了五百年来学院视觉教育的执着。他从事的新绘画运动不只是绘画革命，更是视觉革命，使人类的肉眼、天眼有机会向慧眼提升。慧眼不再是肉身生理的看，而是使视觉通向思维，塞尚的绘画因此更像哲学。

周末水上来了一些都市游客，也是来避静消暑的吧。想到这两天东京居民多出外度假，应该人少，就又乘车沿利根川向关东去。同一条川，几天前沿江上溯，今日顺水而下，沿路所见，风景不同，心境不同，老夫妇不在菜田工作，墓地也空无一人，有点怅然，但当然是自己执着。

在东京有竹久梦二画展，作品不多，有几幅是他为一九二三年关东大地震赈灾画的条幅，穿着紫灰条纹和服的女子坐在树下，眼神有迷惘怅然。

梦二当时大概也无心想画，只是惦记废墟上受灾的众生吧。

画展场地就在东京大学对面，顺路就去看了记忆里特别喜爱的几株老银杏，秋天来过，一片金黄，此时扇形叶片也还是葱绿。

一位老长辈二战时在东京帝大读书，战后回到台湾。他晚年常跟我说起帝大正门对街有一叫 Rouault 的小餐厅，只卖咖啡和咖喱饭，学生常窝在店中一天，读书、记事、聊天或听音乐。鲁奥（Georges Rouault）是二十世纪初法国重要画家，笔触粗犷沉重，常画妓女和耶稣受刑题材。日本大正时期芥川龙之介等人的文学都与他相近，多自我向内的心灵挖掘揭发，深沉黑郁，错杂人性情欲本质与宗教救赎。

我意外这餐厅还在。小小门面，进去吃一盘咖喱饭，喝一杯咖啡，好像对面还坐着二战时青春却忧愁的一个台湾青年没有回去的魂魄。

在鸠居堂买了些手工因州卷纸，再乘车回水上。黄昏时分，水上的都会度假游客都正准备离去了。

佛眼

佛陀关于肉眼、天眼、慧眼的问题还没有结束，他继续问须菩提：“如来有法眼吗？”须菩提回答说：“如来有法眼。”

我沿利根川最陡狭的诹访峡谷漫步，如此靠近，水声与岩石都在眼前。生命里有一次这样对话的因果，是因为水上，还是因为《金刚经》？

从肉身的眼睛看到的一切色，从肉身的耳朵听到的一切声，从肉身的鼻腔嗅到的一切香，从肉身的舌根尝到的一切味，从肉身的触觉承受到的一切痛痒爱恨，本质上只是自己心中虚拟的一场场幻象吗？

幻象里有这么真实的亲人的拥抱，有这么真实的骨肉身体断裂破损的痛，有这么真实的无助的呼叫，有这么真实的欢悦狂喜激动，贪恋的父母爱人、妻女儿孙，嗔怒的仇恨，紧紧抓住不肯放手的人或物质，不肯放手的荣誉或耻辱，赞美或诋毁……

如果有一双眼睛可以透视到更深的本质，就可以放手了吗？

譬如，看着在庭院玩耍的五岁女儿，天真烂漫，爱到不能放手，但是，如果有一双眼睛，可以看到她的下场与遭遇，那会是一种法眼吗？

我竟然想到的是《红楼梦》一开始关于甄士隐与女儿英莲的画面。

夜晚熟睡，水声不断，水声里听到一块顽石，陷在巨岩孔穴中，被岁月磋磨。顽石日夜旋转，在水流里磨转成圆球。长久以来，石球继续旋磨着壶穴窟窿，水声里就有着圆石与窟窿旋转摩擦碰撞的轰轰声。

我嗅到尸骨腐烂间有一种气味，只是肉身化解，离散成不可见、不可触摸、不可听闻的更细小的微尘，比沙更小，比微尘更小。

佛陀追问须菩提：“如来有佛眼不？”须菩提说：“如来有佛眼。”

我想泪水，无论多么安静，其实也是一种水吧！也可以在仿佛峡谷巨石的坎坷阻难间奔腾倾泻或潺湲婉转，找它应该找到的归宿。

然而佛陀问须菩提：“如来看到的恒河之沙也是沙吗？”

须菩提说：“是沙。”

如此简明，一目了然。佛陀从肉眼、天眼、慧眼、法眼，一直修行到了佛眼，他眼中看到的沙，恒河之沙，也还是众生看到的沙。

恒河中有多少沙数？可以一一细数吗？数字计算可以穷及虚空间无数更多河流，更多河流里多如细沙的众生之心吗？

清晨静坐诵经，只是听一次水上水声，把佛陀与须菩提的对话复习一遍。

“过去心，不可得。现在心，不可得。未来心，不可得。”

過去心不可得
現在心不可得
未來心不可得

春消息

杨维祯、邹复雷，乃至黄公望……他们深知创作即是修行，牢记『应无所住』，谨慎自己，一涉匠气，便万劫不能再复。

每年过了冬至，小寒前后，就惦记着山上的梅花或许就要开了。

台湾地属亚热带，住在平地，冬天并不寒冷，也不下雪，现实生活中，不常感觉到梅花是亲近熟悉的植物。

但是台湾多山地，海拔一两千米的山岭随处都是，入冬也都常飘雪，就是品赏梅花的好环境了。

北方南迁的华人移民，有长久的梅花传统记忆。超过一千年，文人诗、画、吟咏里离不开梅兰竹菊。延伸到民间工艺，诸如庙宇花窗、剪黏、壁画，服饰刺绣，家饰上的雕花，锡器茶罐上的押花，也都不难看到各式各样梅花变形的图样。

梅花在宋代以后，发展成为华人艺术图像里的主流。宋代已经有《梅花喜神谱》木刻印刷本的刊行。文人借梅花纾解朝代兴亡、家国郁闷，隐喻异族统治的哀伤、不屈不挠的抗争。或像著名的林和靖（林逋）先生，梅妻鹤子，终生不婚不仕，表达纯粹个人的孤芳自赏，像梅花一样，在寒凉冰雪中冰清玉洁。

梅花，从单纯自然中的植物，附会了许多人加诸它身上的隐喻象征，被赋予了文化的联想。众水汇聚，梅花的历史符号愈来愈多，成为诗文、书画、戏曲中常用的象征暗示。一个原本单纯的图像，像滚雪球一样，愈滚愈大，一千年来，从宫廷、文人，发展到民间，已经成为华人庶民百姓生活图案里最常见的一个符号。

一九四九年后，南迁台湾的国民党，因为政治上的失败吧，更极力维护梅花历冰雪而不凋的象征意义。从军队的图像（如军阶），到流行歌（《梅花梅花满天下》），梅花一千年来累积的隐喻象征，在这南国岛屿上，也被使用到达前所未有的高峰。

有一段时间，在炎热的南方岛屿，到处听着“有土地就有它”，听着“冰雪风雨它都不怕”，还是觉得有一点莫名的错乱与荒谬。

因为，在现实生活里，一般人对梅花还是十分陌生，远不如对杜鹃、扶桑、百合、姜花的熟悉靠近吧。

然而，或许作为一种政策的贯彻吧，一九四九年迁台的国民党，也确实在这南方的岛屿陆续垦植了许多梅花生长的园地。

自然里的一种植物，一种花，一种草，难免会因为人的附会，产生联想、隐喻或象征：像梅花之于宋、元汉族文人，像樱花之于大和民族，像百合花之于基督教的圣母，都使花成为象征符号。岁月长久，植物还是植物，却已很难摆脱人所赋予的联想了。

与许多岛屿居民一样，梅花与我，有过各种牵连：文人借以自砺的隐忍，受伤的魂魄在冰天雪地里对春消息的引颈盼望……一轴王冕的《南枝春早》，如此劲挺而又淡雅的梅花，枝干苍老，满布苔藓，细枝生发向上，千万花朵，仿佛迎风摇动。那是记忆中，可以为一张画徘徊不去，流连一下午的外双溪"故宫"。陈列室常常一下午都没有人，只有自己在玻璃上孤单的影子，和梅花的繁复的细枝，千万花蕾。那正是政治上整个岛屿疯唱着"梅花梅花满天下"的年代，然而，我仿佛觉得，只有林和靖的"疏影横斜""暗香浮动"，用诗句留住了梅花的风骨；只有王冕，用一轴《南枝春早》留住了梅花的踪迹。

匆匆岁月，岛屿一季一季花开花谢，而今，疯唱梅花的时代已成往事。许多牵连附会，都可以一一解开。过了冬至、小寒，我还是惦记着以前看过的山上梅树是否已经绽放了梅花。

过桃园大溪，离台北很近的角板山，栽植有大片的梅林。岁月久了，梅树姿态虬老佝偻，老干如墨，苍苔斑藓，劲挺奇磔。山上入冬大风强劲，梅树主干常常扑倒低偃，如龙蛇蜿蜒，贴地而行。新发的细枝却笔直向上，腾冲升起，有时枝茎横出，抽长数尺，花蕾集结密聚，千蕊万蕊；在风寒中，花瓣在强风中离枝离叶，飘旋散聚，飞扬如雪。

距离立春还有一月余，梅花却已来报告春的消息了。

邹复雷

在美国首府华盛顿国家博物馆东方部门的弗利尔美术馆（Freer Gallery），收藏有一卷元代邹复雷的梅花，记得画卷引首就有山居道人题的三个大字“春消息”。

邹复雷画作不多，这一幅梅花长卷，以老干起首，墨色斑斓堆叠，浓墨淡墨皴染交错，组成低偃纠结的老梅树干，沉厚、苍枯、朴拙。

老梅主干上新生枝茎或笔直向上，或疏影横斜，枝茎上花蕾初放，千点万蕊的梅花。

邹复雷画梅花的方式与王冕不同。早他七年的《南枝春早》（一三五三年），花瓣以细笔线条勾勒，后面衬以淡墨，反映出梅花的雪白晶莹。邹复雷以淡墨点染花瓣，再以浓墨点蕊，花瓣看来不似用笔，可能以纸绢团球印模而成。道观中人，原不以技艺傲人，有时反而不按牌理出牌，有正统科班没有的自由随意。元代文人放旷，书法绘画多不求形似，逸笔草草，重创作意境，而鄙弃亦步亦趋的匠气。

画幅中段，作者以一劲挺横枝为主题，自右而左，笔势横伸斜出，占画面一半以上的空间。这一横枝，在空白中，一笔到底，气势冲云贯月，自信而内敛，无丝毫怯懦，无丝毫浮躁，无丝毫紧张，无丝毫散漫，是元代文人在寂寞中修炼自己，最后以书法入画的极品之作。

邹复雷的《春消息》，可以细细品味最后的一笔线条，像歌者高亢持续不断的尾音，在极高音处，不断拔起，源源不绝，气力十足，却不张扬，徐徐缓缓，霭入行云。那一笔，也像南朝千峰万岭、岩壑深林间隐者的高啸，只此一声，山鸣谷应，天地都要激昂。听到的人，在山路上有多少徘徊，仿佛梦中前世知音，音声荡漾，低回流连，如此让肺腑都要热起来的声音，却不知歌者人在何处。

《春消息》长卷，两张纸接裱，看得出来，最后一笔是占满一张新纸。作者拿捏分寸，濡毫沾墨，要一气而成。因为只有一笔，笔势轻重疾徐，都留在空白间，使人反复寻味，如绕梁不去的尾音。

看这张原作是近四十年前的事了，当时友人 Stupler（施图普勒）君正在普林斯顿写有关赵孟頫的博士论文，他陪我看画，感慨赞叹说："我的论文不及这一笔。"《春消息》图卷原是清宫旧藏，慈禧执政，把这一图卷赏赐给云南女画家缪素筠，缪素筠当时是御用供奉画家，官服三品，常为慈禧代笔，很受慈禧重用宠爱。民初，这一卷画转卖到收藏家郭世五（郭葆昌）手中，卷末有郭的题记，之后流出国外，成为美国首府的收藏。

杨维祯

这一卷《春消息》更难得的是卷末有杨维祯的长篇跋尾：书法纵肆狂怪，笔笔如老梅枝干，横伸斜出，虬结盘绕，斑驳烂漫，飞白墨如烟霞，风起云涌，浪涛波扬，云岚散聚，泉瀑飞溅，令人目不暇接，也是我看过杨维祯最好的书迹之一。

《春消息》 邹复雷

《春消息》跋尾　杨维祯

杨维祯在画卷后题诗是在至正庚子，公元一三六〇年前后，大约是他六十五岁时的作品，原诗内容如此：

鹤东炼师有两复，神仙中人殊不俗。
小复解画华光梅，大复解画文仝竹。
文同龙去擘破壁，华光留得春消息。
大树仙人梦正甘，翠禽叫梦东方白。

杨维祯青年时住铁崖山，以铁崖为号。他在元朝泰定四年（一三二七年）中过进士，也做过天台县尹、杭州四务提举，以及江西儒学提举的官。他的生活事迹，不像一般儒士的古板拘谨，放浪形骸，人如书法。他晚年多居住在江南松江一带，靠近今天的上海，也常隐居富春江，来往的人，也多是民间的布衣道士。

台北“故宫博物院”黄公望的《九珠峰翠》，上面就有杨维祯的章草题诗，署名“铁笛”。杨维祯有一把铁笛，常常吹奏，自称铁笛道人，他号铁崖，这幅《春消息》跋尾最后的落款就用了“老铁”“贞”。

杨维祯与黄公望有题画交往，黄公望是全真教的道士，他八十二岁画的名作画给“无用师”郑樗，这“无用师”也是全真教道士。

全真教似乎在元代吸收了不少优秀的汉族文人，不与新政权合作，隐身道观，潜心修行，在诗文艺术创作上都有杰出的表现。

杨维祯在《春消息》跋尾上讲到的两位“炼师”，也就是道士。道家炼丹修行，自古也都被尊称为“炼师”。

杨维祯见到的这两位炼师是兄弟二人，哥哥邹复元，杨维祯称为大复；弟弟就是画这卷《春消息》图的邹复雷，杨维祯诗里称为小复。

宋代一位叫华光的出家人，在元朝被推崇为画梅花的始祖。杨维祯把邹复雷比喻为善画梅花的华光。大复邹复元擅长画竹，杨维祯就把他比拟为北宋画竹子的高手文仝。“文仝”现代人多写作“文同”，台北“故宫”与北京故宫各有他一屏《竹图》。

杨维祯的诗，在当时颇有盛名。他是正式科举出身，又做过儒学提举的官，写诗却没有一点八股迂腐气。他喜欢创作民间自由的西湖竹枝词，文体随意活泼，不咬文嚼字，不矫揉造作，像庶民百姓信口诌来的歌谣，风格平白粗朴，绝无扭捏，在当时也被称为“铁崖体”。

讲完大复画竹、小复画梅，杨维祯的铁崖体突然天马行空，用了两句极有生命力的句子形容竹与梅的灵气魂魄。

“文同龙去擘破壁，华光留得春消息。”

竹子夭矫如神龙，点睛，就可以破壁腾空而去。而梅花，一卷纸墨，也就留下了春天的消息。

这两个句子还是要用杨维祯自己的书法来看，亦楷亦行亦草，非楷非行非草，亲近道家。杨维祯知道邹复元、复雷都是修行中人，修行若还拘泥形式拘束，也就不是真正的修行了。

道观中的炼师，都有书画以外的向往追求，斤斤计较于书诗画，也都是末流枝节。邹复雷如此，黄公望如此，他们的笔墨，留在人间，也只是留一段肉身早已破壁而去、无影无踪的《春消息》吧。

《金刚经》说："应无所住。"到处看到这四个字，因此总心生警惕，知道自己还有多少执着。

元代的正统书法到赵孟頫，到了一高峰，然而，创作一到高峰处，其实也常常就有了致命之伤。

杨维祯、邹复雷，乃至黄公望，都不按牌理出牌。他们绝不跟随赵孟頫亦步亦趋。即使黄公望出身于赵门下，自称"松雪斋中小学生"，如此谦逊，却还是知道创作艰难，必须走自己生命的路。他们深知创作即是修行，牢记"应无所住"，谨慎自己，一涉匠气，便万劫不能再复。

笔墨如此酣畅淋漓，飞白如樗木，如枯木，如顽石，如藤蔓，如霰如雾，在洪荒的块垒寂静里，如大梦初醒的一声惊叫。

我喜欢明代吴宽说杨维祯书法的句子："大将班师，三军奏凯，破斧缺斨。"是的，铁崖书法像大军凯旋，气势万千，然而一场激战过后，斧钺破损残缺，剑戟断烂。他的点线不是优雅的姿态，然而威风凛凛，带着血战后的悲凄怆痛。

跋尾中有错字有颠倒，杨维祯都不在意，直追颜真卿《祭侄文》手稿即兴的趣味。他不会在意他人如何蹙眉歪脸琐碎唠叨他的书法吧。他知道翠禽鸣叫，东方渐白，宽坦的大地上都是春消息，也都是曙光。

清朝的张廷玉说杨维祯“狷直忤物”，这四个字是说杨维祯的人，其实也像评论他的书法。“狷直”是自己的事，不与人苟且敷衍。“忤物”是得罪人，与世俗不合。杨维祯青年时总不升迁，大概也因为如此吧。但是元末大乱，他是见过乱中争霸的群雄的，一一见过，最后就避居富春江，和黄公望一样，看山看水。他们对时事都无言语，但是自然知道山水的分寸。

我年轻时看杨维祯故事书法，总觉得他像江湖武侠中人，来去无踪。传记里也总说他吹铁笛，奏《梅花弄》，歌《白雪》，“宾客蹁跹起舞，以为神仙中人”。

杨维祯在跋尾里称赞邹复元、复雷兄弟，一开始也就说“神仙中人殊不俗”。创作的修行是向往“神仙中人”，书画也才能“不俗”吧。

这“神仙中人”后来在明初建国被朱元璋召见，让人捏一把冷汗。狷直忤物，朱元璋容得下他吗?

好在这“神仙”在朝廷不久，议定礼法，敷衍一下，就请归故里了。走的时候，朱元璋还让百官在西门外设宴送他，风风光光回到他的山水中去终老了。

这才是“神仙中人”吧，退得如此干净。让人惋惜起隐居黄鹤山三十年，却在明初汉族（自己人）重新执政时出来做官，最后卷入胡惟庸案件，冤死于狱中的画家“黄鹤山樵”王蒙。太靠近政治时事，很难能是清净的“神仙中人”吧。

二〇一四年的元旦，想念梅花，就从角板山入北横，一直到武陵农场，沿路看了一片一片的梅林。

梅花初绽，远远近近，一阵一阵清香袭来。梅花的香的确特别，淡雅从容，在一阵一阵风中，若有若无，不徐不疾。那么淡远的香，好像可以抓在手中把玩的细丝；然而，一靠近，梅花的香全不见了，鼻子贴近花瓣，更是什么都闻不到了。原来林逋说的“暗香浮动”，仿佛是嗅觉，又不完全是嗅觉。色香之后，心灵上留着如此若即若离、如此丰富饱满的记忆，不可思议。只在诗句中注解，大概永远不能亲近真正的梅花之香吧。林逋的名句还是让梅花来注解，好在山上梅花都在，真有心注解也都不难。

武陵农场在五六十年代也栽植了梅林，是修中横公路的荣民解甲归田以后培植的。他们渡海而来，在战争中未曾死去，有幸记得故乡的梅花，就一株一株栽植起来。红梅、白梅都有，新品种也都取了不同名字。

每年冬末，到武陵走一走，使我想起台北“故宫”王冕的《南枝春早》，也让我想到美国首府弗利尔美术馆元代邹复雷的长卷《春消息》，想到明代陈宪章繁复靡丽的《万玉争辉》，也想到清代扬州金农笔下如梦似幻冉冉升起的梅花。

《南枝春早》王冕

因为爱结得如此深，双方也都要受苦。爱比恨更难解脱。对别人恨，别人恨你，只要不报复，也就解脱了。

失智

许多身边朋友都在谈老年失智的问题了。

许多年前，失智的现象还不普遍，偶然一位朋友惊讶痛苦地说：父亲不认识他了。

我也讶异，因为一直到老年往生，我的父母记忆都还极好。大小事情都条理清晰，更不可能不认识自己最亲的儿女家属。

但是，确实发生了。我的朋友坐在客厅，许久不讲话的父亲突然转头问他："你是谁？为什么一直坐在我家？"

我可以了解我的朋友心中受伤，那种茫然荒凉的感受。

是什么原因会连最亲近的亲人都不再认识了？

这几年老人失智的现象愈来愈普遍，甚至年龄层也有下降趋势，同年龄段的五六十岁的朋友也出现失智的现象。

现象多了，把现象的细节放在一起观察，觉得失智会不会还是笼统的归类？因为仔细分析，失智现象似乎也有不完全相同的行为模式。

二〇一二年看了一部很好的法国电影《爱》（*Amour*）。

一对老夫妇，妇人在餐桌上忽然记忆中断，停滞了一会儿，又恢复了。接下来接受治疗，身体开始局部瘫痪，行动困难。妇人是音乐家，意识清楚时敏感的心灵无法接受医院的治疗方式，要求爱她的丈夫不再送她去医院。丈夫答应了，但是，接下来的情况愈来愈恶化，洗澡，吃东西，一切行动都愈来愈困难。一个年老的丈夫独力照顾一个衰老病变的妻子的身体，妻子的状况就是逐渐失去语言能力，失去记忆，失去控制自己身体的一切意识。

一部真实而安静的电影，导演、演员都如此平实，呈现一个生命在最后阶段无奈又庄严的悲剧。

许多悠长缓慢的镜头，静静扫过一对夫妻生活了数十年的家。入口玄关，悬挂外套的衣架。客厅里的钢琴、沙发、餐桌。厨房的洗碗槽、水龙头。卧室墙上荷兰式风景的画，从窗口飞进来的鸽子，午后斜斜照在地板上的日光。

我忽然想起马尔克斯在《百年孤独》里描述过让人难忘的画面——一个得了失忆症的村落，人们用许多小纸条写下“牙膏”“门”“窗户”“开关”“锅子”。把一张一张小纸条贴在每一个即将要遗忘的物件上，牙膏、门、窗户、开关、锅子——预先防备，失忆的时候有这些小纸条上的字可以提醒。

有一天和世界告别，就是这样从身边熟悉的物件一一遗忘开始吗？

马尔克斯经验过亲人失智的伤痛吧？才会用文学的魔幻写下这样荒谬而又悲悯的故事。

然而看《爱》这部电影时，我出神了。我想，也可以在自己最亲爱熟悉的人的额头上贴一个小纸条，写着“丈夫”“妻子”“父亲”“母亲”吗？也可以写下最不应该遗忘的爱人或孩子的名字，贴在那曾经亲吻过的额头上吗？

一个朋友常常丢下繁忙的工作，匆忙赶夜车回南部乡下探望年老的母亲。然而母亲看着她，很优雅客气地说：“您贵姓啊？”“要喝茶吗？”她就知道母亲不认识她了。她忘记了女儿，却没有忘记优雅与礼貌。

许多有关失智的故事让人痛苦怅惘，大多是因为亲人不再认识了。

曾经那么亲近恩爱，竟然可以完全遗忘，变成陌生人，那么还有什么是生命里可以依靠相信的？

我也听过失智的对象不是亲人，听起来就比较不那么像悲剧。

有一个朋友极孝顺，多年来她为母亲买了很多贵重的黄金珠宝饰品，存放在银行保险箱，偶然有宴会取出来穿戴一次。母亲失智以后，常常惦记存在保险箱的珠宝，焦虑不安，吵闹着要去检查。孝顺的女儿就陪伴母亲到银行，取出珠宝，一一算数过一次，没有遗失，重新放回保险箱锁好。

但是，这个失智的母亲刚回到家，立刻忘了刚才看过、检查过珠宝，又开始焦虑不安，吵闹着要立即到银行开保险箱。她的孝顺女儿说：“妈——你刚看过……”但是母亲失去记忆的部分刚好是她去过银行、看过珠宝。

这是我听过的失智故事里比较快乐的一件。虽然我这孝顺的朋友也一样无奈万分，疲惫不堪，一天要陪着老母亲一次一次跑银行，但是因为母亲还认识她，好像她的无奈里还是有一种幸福。

所以失智的大悲痛是因为最熟悉、最亲爱的人不再相认了吗？

母亲

《金刚经》里重复最多次数的句子是“无我相，无人相，无众生相，无寿者相……”

每日清晨诵《金刚经》，读到这一次一次重复的“无我相，无人相，无众生相，无寿者相”，我还是心中震动。

母亲往生后，我常思念她。她的照片就在我床头，我也盼望她时时入梦相见。

但是我再也没有一次梦到过母亲。

“无我相，无人相，无众生相，无寿者相……”读《金刚经》时，我总是不能彻底了悟的句子，一次一次重复，似乎与盼望母亲入梦的执着日日互相对话。“是身如焰，从渴爱生”“是身如幻，从颠倒起”——我的身体，母亲的身体，母亲爱我，我的渴望母亲入梦，是不是都像《维摩诘经》所说，只是一时火焰，如此炽热烫烈跳跃，却只是颠倒幻象？

我要如何彻底知道“我相”的执着，知道自己的“渴爱”原是妄想？

我或许应该知道，母亲的入梦也是“人相”的执着。母亲曾经是婴孩、少女、新婚、怀抱我，之后成为衰老的身体，停止一切生理机能。入殓时我为她戴上一只黄金戒指，她已是冰冷僵硬。哪一个记忆是母亲真正的“人相”？

我把她每一张从年轻到老年的照片排列开，她的“相”其实一直在改变，我坚持她入梦的又该是哪一个相貌呢？

亲属相认如此艰难，亲爱过的身体，如火焰般渴望过的爱，也如此不可依恃吗？

所有的拥抱，都不会是永远的拥抱。那么，所有的记忆，也不会是永远的记忆吧？

“我相”“人相”都只是暂时幻象，这个“我”，可以从“人”的坚持流转成猪、牛、禽鸟吗？

我仿佛梦到那些叫作亲人的相貌，在几世几劫中流转。是负着轭的疲累的骡子，驮沉重的物，艰难走在黄沙路上。是天空里一只南飞的大雁，幻想着和暖明亮的阳光。是节节肢解的身体，记得每一次肉体断裂的痛，经过好几世，那记忆还成噩魇，在梦中惊叫。而那么深重地哭泣过的泪，一点一滴，都记忆在全身的皮肤上，成为胎记、黑痣、斑纹，仿佛永世的文身，随身体去到不同的时空，生死流转。

那是民间相信的故事，不可以在亲人临终时哭，不可以把泪水滴在亲人遗体上，因为来世会成为皮肤上的黑痣胎记。

那听来无稽的故事，让我看到一个人身上的黑痣，便忍不住想起他前世的记忆，每一颗小小黑点，都仿佛记忆着一滴泪水。

然而，记忆是应该遗忘的吧？带着那么多爱的记忆生活着，会不会也是沉重的负担？

“于一切有情无憎爱……”经文上说的，对一切生命没有憎恨，没有恩爱，那其实是像一个失智的世界吧？

那个母亲不再认识她的朋友很受伤，“连唯一的女儿都不认识了。”她说。然而母亲认识照顾她两年的菲佣，她清晰地说：“Sophia（索菲娅），给客人倒茶。”

我希望用“无我相”“无人相”的方式安慰我受伤的朋友。如果有一天母亲入梦，待我如客人，会不会少了很多憎爱的瓜葛？

中年以后，大多能解脱憎恨。别人讨厌你，辱骂你，觉得是恶缘。恶缘要快快了结，恶缘结深造业，就有报应。不辱骂别人，不讨厌别人，恶缘可以无缘，也就清净了。

但是，愈来愈觉得要解脱恩爱缘分，真是困难。

《爱》整部影片，在讲恩爱缘分。因为爱结得如此深，双方也都要受苦。爱比恨更难解脱。对别人恨，别人恨你，只要不报复，也就解脱了。爱，却很难了。你爱一个人，一个人爱你，都可能是几世几劫的缠缚，像

無我相
無人相
無衆生相
無寿者相

脸上的黑痣，那么触目惊心。

据说人在巨大车祸的惊骇中会暂时失忆，所以，失忆也可能是一种保护吗？保护肉身不要受过于强烈的痛，保护肉身不要受过于强烈的爱或者恨的撞击。

八大山人

八大山人是我最喜欢的画家，我总觉得他的画里有一种“美学的失智”。

八大姓朱，是明宁献王朱权的第九世孙。皇族后裔，成年时忽然遭遇明朝灭亡，剃发出家。此后在南昌城大家都看到一个失智的疯子。或哭，或笑，或喑哑无语，或耳聋无听。他的画作上签名是“驴”，他说自己是“丧家之狗”。他在家门上贴一“哑”字，拒绝与人交谈。他在求购画者客厅放屎便溺。他赤足烂衣，歌哭于市，后面跟一群笑闹疯子的小儿。

这是八大山人，画上签署“八大”“山人”，别人看到是“哭”“笑”二字。

生命随意哭、随意笑，生命不坚持自己耳聪目明，生命到了绝境，可以是聋是哑，是俗世不屑的驴、狗。生命非想，非非想。

是不是八大已“无众生相”？他画鱼，那鱼是他自己，游于虚空间。鱼被捕捞，到了岸上，奋鳍鼓鳃，努力求活命，却已离死不远。庄子早已提醒，相濡以沫，两条濒死的鱼用口水湿润彼此，不如相忘于江湖。

庄子总是说“忘”，“忘”可以是一种心灵的失智吗？

八大晚年惊人，小小一张画面，他幻化成鱼、成鸟，他成枯木，或成顽石，幻化成一朵落花、两点鸡雏，都是他美学失智后的豁达。

绝交息游，原来只是回来做真正的自己。八大十九岁亡国，像是突然失智，解脱了“我”与“人”的坚持。不再是皇族，不再姓朱，不再是才子，不再耳聪目明，可以又聋又哑，可以疯癫哭笑。可以一整天呆看一鱼，自己成为鱼；可以一整天呆看一鸟，自己成为鸟；可以呆看一枯木、一顽石，自己就在几世几劫中遇到了曾经是枯木顽石的相貌。

生命可以如此自由，在“卵生”“胎生”“有想”“无想”间若即若离，可以解脱了“众生相”。

读《金刚经》，或者看着八大的鱼发笑，好像可以有一样的领悟。

创作者里能“无众生相”的并不多，太多“我”的执着，格局总难大气。太多“人”的执着，也难自由。大创作者，好像多少要有一点“美学的失智”。

头脑太逻辑，以逻辑自傲，就更不知何谓相忘于江湖。

我安慰母亲不认识她的朋友，试试看把母亲额头上“母亲”二字的纸条拿掉，母亲可以解脱“众生相”，我的朋友，在亲爱与伤痛过后，也可以解脱了“寿者相”。看完《爱》，回家读一遍《金刚经》。午后阳光明亮，那一只窗口飞进来的鸽子，既然可以飞进来，也应该可以飞出去吧。

痴绝——非美学的出走

美，不是一种学问；美，是一种痴。痴到了极处，血泪迸溅，围观的人中并无一人知道那笑声的荒凉。

老子很早就发现了："美"，竟然是"非美"。

老子说："天下皆知美之为美，斯恶矣。"

世俗大众遵奉美为美，附庸美，使美成为俗滥的、千篇一律的流行，美便失去了创造性的意义。美没有了特立独行的个性，美失去了风格的典范，美不再是美，如此的美，斯恶矣。

没有比老子这一段"非美学"的论断更精辟的。他看到了俗不可耐的附庸风雅，看到丧失了真正生命力的涂脂抹粉，看到扭捏作态的东施效颦，对天下俗众皆知的"美"，严厉地指斥为"斯恶矣"。

美，不是遵奉与模仿。

美，毋宁更是一种叛逆——叛逆俗世的规则，叛逆一成不变的规律，叛逆知识的僵化呆滞，叛逆人云亦云的盲目附和，叛逆知识与理性，叛逆自己习以为常的重复与原地踏步。

美是一种痴。

知道了知识的不足，知道了理性的贫乏与脆弱，知道一切定义与条理的荒谬。痴绝的生命，长啸而起，山鸣谷应，在文明的绝境使历史溅迸出血泪。

我们很难理解阮籍为什么走到荒山去，在穷绝的山路上放声大哭。

我们很难理解陶渊明的琴为什么一根弦都没有。他在这张素琴上铮铮而弹，他说："但识琴中趣，何劳弦上声。"

我们很难理解嵇康的《广陵散》，难以理解他"手挥五弦，目送归鸿"的傲气与悲凉。

我们难以理解，他走向刑场时的罪名："上不臣天子，下不事王侯，轻时傲世，不为物用，无益于今，有败于俗。"

夕阳在天，人影在地，我们或许曾经是围观嵇康行刑的观众之一，我们还是难以理解一个孤独走向死亡的音乐家的傲气与悲凉。三千太学生求教《广陵散》——《广陵散》是传说中最美的音乐，但是，嵇康在刑场上仰天大笑，他说："《广陵散》于今绝矣。"

美，不是一种学问；美，是一种痴。

痴到了极处，血泪迸溅，围观的人中并无一人知道那笑声的荒凉。

有一个时代，美，都一一隐匿着，成为非美。

我喜欢那历史的河边，屈原与渔父的对话。"沧浪之水清兮，可以濯我缨；沧浪之水浊兮，可以濯我足”，渔父的歌声其实在河边流传了很久，只是屈原第一次听到而已。

唱这样歌的常常是河边渔父，是山中打柴的樵夫。他们唱着唱着，就唱出了时代中知识者的末路。他们没有歌赞，也没有嘲讽；没有恋慕，也没有悲悯。他们只是彻悟了什么，也知道各人有各人的路要走，匆匆一两句交谈，留在历史上，使会心者一笑罢了。

诗人到了痴绝，或许会有震惊历史的诗句。

生命到了痴绝，却只有血泪。

司马迁的《史记》写了许多生命的痴绝。

楚霸王在垓下围困中慷慨高歌，与一生不舍的女人和马告别，他留下了一种历史的痴绝。

荆轲的“风萧萧兮易水寒”，唱出另一种生命的痴绝。

他们或许是不屑于美学的吧。他们走向生命的绝望之处，谈笑自若，使千百年的后来者知道：痴到绝处，只是简单去完成自己一心要做的事，别无他想而已。

“美”的教育可以是一种“痴”的尊敬吗?

知道痴到极处，没有什么道理可说，只是“春蚕到死”而已。

近代西方，到了罗兰·巴特，到了福柯，有一些痴的领悟，福柯的《疯癫与文明》指证出某种疯的创造力量。

我已离开了学院。

学院或许是留给中规中矩的非痴者的吧。

“都云作者痴”，在东方美学里一贯着痴的传统，其实是叛逆主流学术的一脉香火。

痴，所以可以非主流。

痴，所以可以不正经。

痴，所以可以佯狂。

痴，所以可以离经叛道。

到了晚明，痴可以成癖，而创作者大声说出：“人不可以无癖，无癖则无情！”

福柯是知道知识与理性的病癖的，他便大胆走向疯痴的研究。

在东方，或许仍区分着疯与痴的不同。

艺术上不乏以“疯”“颠”命名的重要的创作者，如“张疯”“米颠”等等。

但更重要的仍是痴。

痴仿佛是更深情的一种理性，一般知识达不到的理性，一种专注，一种凝视，一种前世宿命中注定、无法逃离的纠缠。

汝爱我心，我怜汝色，以是因缘，经百千劫，常在缠缚。

《楞严经》中也在讲这一种无以名状的痴。

因为“痴”受辱、受伤、受苦，血泪溅迸，在大寂寞大孤独中走向绝望之处，却可以一声长啸，惊天动地，使俗世的美，纷纷陨落。

历史上长久听不到一次这样的啸声。

历史上长久见不到一次这样的痴。

萎弱的美，使美已俗不可耐。

“五色令人目盲，五音令人耳聋”，老子早已嘲笑了漂亮的美术与音乐。那些瞎眼与耳聋的俗世之美，没有了生命的热情，仍然存在着，徒具形式躯壳而已。

非美或许将长啸而起。

非美是从美出走。

痴是从理性出走。

芒花

入秋以后，惦记着岛屿各处刚刚开始抽出的、泛着银粉色崭新亮光的芒花。一簇一簇，一片一片，随风翻飞在田陌、山头、河谷、沙渚，翻飞在墓地、路旁，翻飞在废弃的铁道边，也翻飞在久无人居住的古厝院落。

那银白泛着浅浅粉红的芒花，波浪一样，飞扬起伏，闪烁在已经偏斜、却还明亮晃耀如金属的秋日阳光里。

岛屿一年四季有花。初春二月，最早开的常常是苦楝。浅浅淡淡的粉紫，在高大乔木青翠葳蕤的叶间摇晃。一片迷离、朦胧、若有若无的粉粉浅紫的光。远远看去，不确定是色彩，还是光。如果是坐火车，走花东纵谷，过了瑞穗，一路上，远远近近，就都是早春苦楝的花，烂漫摇曳，轻盈而且欢欣。

苦楝之后，通常是白流苏，也是小小的花絮，团团簇簇，远看像雪片纷飞，也如苦楝，迷离成一片。

杜鹃过后，木棉开的时候，通常已近节气的立夏了。木棉花色艳而肥大，开在叶子稀疏横向生出的长枝上，一朵一朵，像燃烧的火焰，强烈而醒目；掉落到地上，也"啪"的一声，冷不防惊动树下走过的行人。

苦楝、流苏花蕾都细小，在风中飘零消逝，常去得无影无踪。没有觉察，抬头看树上浓绿叶荫，茂密扶疏，已不见花的去向，已没有了初春的踪影。

木棉掉落地上，不容易消失。一个完整厚重的花形，触目心惊的颜色，经人踩踏，常常粘在人行道水泥地上，许久许久，脏了，烂了，还是不容易去得干净。

木棉过后，就轮到刺桐了。比木棉要深艳浓烈的红，每一朵花像一只侧面的鸟，飞扬着羽翅。我童年时台北多刺桐，孩子们也喜欢摘刺桐花做成飞鸟，取其花瓣如鸟之翼吧。不知为何刺桐在市区里不多见了。我散步的河边倒有几株，盛艳的红色，仿佛提醒夏天的来临。

高速的交通工具多起来之后，不容易浏览凝视车窗外的风景了。偶然一瞥，惊觉到正过大安溪，河床卵石、沙渚间应该可以看到新起的芒花了，然而速度太快，匆匆一瞥，只是刹那的印象，总觉得遗憾。

我想看芒花，也顺便去清水找装池裱褙的苏彬尧先生。坐了一段高铁到乌日站，再换乘接驳的支线火车经追分、龙井、沙鹿，到清水。支线火车速度慢，每一站停留时间也长，沿路就看到许多芒花。新绽放的芒花果然一丛一丛，连民家社区的院落转角甚至砖瓦缝隙，也都有芒草，如果在大都市，可能早被拔除了吧。

这一路支线的火车建设于日治时代，许多火车站还保有二十世纪二三十年代的古朴风格。简单的候车室，简单的月台，月台上站着年岁不小的站长，灰蓝制服，大圆盘帽，恭敬地向乘客鞠躬。火车缓缓进站，缓缓离去，他都一样敬礼，像是半世纪来一直站在月台上的雕塑。同样的、单纯的动作，如果重复三十年、四十年，就像默片时代的影片吧——每一格看起来都一样，但连接起来，也就是一个人的一生了吧。

年代久远的支线小火车站，常都有花圃，随意种一点扶桑、月桃、茉莉、桂花、罗汉松，或者荒废无人照料了，就自生自灭长起一丛丛芒草，在这季节也开着一片芒花。

清水

我很高兴，不只是来清水找苏先生裱画，也一路看了岛屿初秋最华美洁净的芒花。

清水车站也是老建筑。二十世纪二十年代，日本就已经发展了岛屿海线的火车交通。原有的清水老车站在一九三五年中部地震时毁坏。目前的清水车站是地震后重建的，也已经有七十几年的历史了。

今年走过几次花东纵谷，发现老车站都在重建。挖掘机开挖，毫不留情，许多时间的记忆，许多人与人相见与告别的空间记忆，霎时片瓦无存，令人愕然。

岛屿许多记忆的快速消失，使人愕然。记忆突然消失的惊愕，或许常常是烦躁焦虑的开始吧。上一代的记忆，无法传递到下一代，下一代也无法相信自己建构的世界可以天长地久。我们毁坏了过去，我们建构的一切，不会被下一代毁坏吗？挖掘机开挖，很轻易摧毁积累半世纪、一世纪岁月的建筑，岁月与记忆一起被摧毁。人对物无情，常常也就是对人无情的开始吧？因为没有任何事会长久，也就难以有坚定的信仰。

如果，不能天长地久，粗暴与优雅、野蛮与文明、残酷与温柔、战争与沟通，会有任何差别吗？

“天长地久”是汉字文明多么久远就建立的信仰，然而，站在一处一处拆除的废墟上，还能重建天长地久的信念吗？

苏先生在车站门口接我，我回头看车站，看到三条不同高度、平行而不同长短的水平屋脊的线，觉得安静稳定，毫不夸张造作，连飞檐的张扬都没有，内敛而含蓄。它如此安分做一个小镇的车站，素朴，不奢华夸大，可以安安静静在七十几年间让许多人进进出出而不喧哗。

目前清水车站大致还保有老的建筑格局。虽然加设了突兀的天桥，破坏了原来安静的天际线。虽然站前出租车停车位置太逼近建筑体，干扰了原来列柱的简单比例。但是，还是敬佩七十年前岛屿建筑工作者的人文质量，有如此不夸大张扬自我的教养。

清水镇苏彬尧先生的家我很爱去，不只是为了装裱字画，也常在他家品茶、喝酒、吃极鲜美的鱼与青菜。他的家，也常给我天长地久的宁谧安定的感觉。苏先生沉默不多言语，苏太太细心介绍一包铁观音，超过六十年武夷山的老岩茶。水好，茶好，坐在他的客厅，喝着有岁月的老茶，也觉得眼前岁月都如此静好，朴素无喧哗，醇厚淡远，不徐不疾。

肃亲王

今天来，喝茶的空间墙壁上多了一件肃亲王的书法。我仔细看，墨韵极好，线条边缘，墨色与纸泛成一片沉静的光，也像这秋日午后的清水小镇，如此天长地久。

我一面喝茶，一面看字，苏先生说这是新收到的条幅，还是日本原来的装裱。他指给我看条幅上下金色绫子的“锦眉”，单一金褐色缠枝牡丹花草织锦,是唐代影响到日本的久远织品,极华丽贵气,却还是沉静不喧哗。

我对日本裱工不熟，知道日本装裱常维持唐风画轴上端两条可以飘飞的“惊燕”。中国到宋以后，飘飞的“惊燕”功能消失，固定成装饰性的两条，称为“宣和裱”。

苏先生跟我说日本裱装背后，多用楮树树皮抄制的纸，纤维长，纸质细而薄，托在背后，拉力平均，使画幅可以更平正。

这件作品日本的原装原裱，或许对苏先生研究裱褙的材质技法有许多专业的惊喜吧。

“也是有缘，遇到了。”他淡淡地说。

这几年，肃亲王的生平常被讨论，连一般影视也都出现了。他的书法，真真假假，在亚洲拍卖市场上也多起来了。苏先生说原来条幅轴头是牙骨制的，出售的店家或许觉得珍贵，私下取去了。苏先生买到，特别又找了旧的牙骨轴头，重新装上。如此费心讲究，一个时代的美学气味与风格才得以完整吧，我不禁想起老清水车站新架设的天桥。

岛屿政治的变迁，常使时代风格不能延续。日治时代拆除清代衙门，两蒋时代拆除日本神社。拆除的，其实不只是政治象征，也常常断绝了岛屿可以天长地久的文化生机吧。也许清水苏先生与肃亲王书法有缘，也许是苏先生与日本不知名的装裱师傅有缘，也许是岛屿清水小镇与肃亲王这一近代周旋于清朝、同盟会、日本、伪满洲国的历史人物有缘吧，我看着这件书法，有点出神。

书法写的是苏东坡晚年的两句诗：“贪看白鹭横秋浦，不觉清泥没晚潮。”苏诗的原句是“不觉青林没晚潮”。

这是一一〇〇年苏轼贬谪海南岛时期在澄迈驿通潮阁写的两首诗中的句子。当时苏轼已获释，准备离开海南岛。次年，北返途中，辞世于常州，这首诗是他最后观看风景的心事吧。

贪看着秋天水岸边的白鹭鸶，不知不觉，傍晚潮水上涨，已经淹没了一片青色的林地。

貪看白鷺橫秋浦不覺

青泥沒晚潮

海波先生雅屬 肅親王

肃亲王书法作品

那南国的风景，有点像淡水河口了。白鹭鸶也像，秋天的沙渚也像，潮来潮去也像,淹没在水中的一片水岸青林,不知是不是结水笔仔的红树林?

不知道东坡最后要离开海南岛时，为什么记得这样的风景？无关政治人事琐碎，只是秋天、白鹭鸶与潮水，只是自己最后仍然执迷而无法放弃的“贪看”吧。

肃亲王这幅书法是写给海渡先生的，书法上有上款，肃亲王落款下两方印，白文“肃亲王”，朱文“偶遂亭主”。“贪”字边有起首印，是御赐的“望重宗维”，可见当时清廷对肃亲王的倚重。

我在青年时读的近代史，受政治干扰很大——清廷到了后期，也只是“腐败的清朝”一句带过；对肃亲王这一人物不会有重要介绍，自然也不容易对这一人物有清楚的认识。

清朝开国，皇太极长子豪格封肃亲王，是清代世袭罔替的铁帽子王。豪格后第九代，肃亲王爵位传到爱新觉罗·善耆。

善耆生于同治五年（一八六六年），做过崇文门税监、步军统领、民政部尚书。

善耆是清末皇族贵裔，是清廷的官僚，但他有两件事，留在历史上，或许很难以腐败二字笼统概括。

第一件事：革命党领袖孙中山曾经写信给善耆，称他为“贤王”。信一开始就如此称赞肃亲王：“仆向与都人士语，知营州贵胄，首推贤王。”

孙中山很看重这位亲王，给善耆的信中，提了两项具体建议。第一项:

希望肃亲王推动清政府退回到发源地老家满洲，自立建国，把中原还给汉人。原文是：“旋轸东归，自立帝国，而以中国归我汉人。”

第二项：孙中山劝说肃亲王参加革命。原信说：“贤王于宗室中称为巨人长德……革命之业，贤王亦何不可预。”

孙中山还举了俄罗斯克鲁泡特金等爵为上公的贵族投身参加革命的事例。

第二件事：一九一〇年三月，汪精卫等革命党人制作炸弹，在北京试图谋杀摄政王载沣，事败被捕，由善耆审理。

此案当时轰动全亚洲，肃亲王任民政部尚书，审理此案，最后违反朝廷意旨，免除了汪精卫等人死罪。

据说肃亲王善耆与汪精卫狱中有许多对话。一个四十五岁当朝的亲王，执掌大权，正积极推动朝廷立宪。一个二十八岁的革命青年，抛头颅洒热血，写下“引刀成一快，不负少年头”的诗句，惊动世人。如果不粗暴武断以腐败定论，他们两人的对话，或许正是历史真正的对话，也是后来者应该细细聆听的对话吧。

肃亲王在一九一〇年四月二十九日，对汪精卫等革命党谋刺者的免除死罪，是轰动一时的大事。一年后，辛亥革命成功，十一月，汪精卫出狱，中华民国成立，清朝覆亡。这时，肃亲王善耆的处境逆转，他又将何去何从？

看着肃亲王的书法，心里想着孙中山情文并茂的书信：如果这封信选在近代中国历史教科书中，会不会让后来者有很不同的历史思考？

一九二二年，肃亲王病故于旅顺，汪精卫亲赴灵前致祭，当年慷慨歌燕市的革命青年，已经是新政权的领袖人物了。历史峰回路转，常常使人惊愕，但当年革命青年在昔日政敌灵前致祭，也像天长地久的故事，引人嗟叹吧。

肃亲王有三十八个儿女，后多居住东北、日本。其中十四女爱新觉罗・显玗（金璧辉），过继给日本人川岛浪速，也就是抗日战争时周旋于几个政权之间的著名间谍川岛芳子。

历史如潮来潮去，贪看眼前繁华热闹，容易执迷。知道潮来潮去，都要在时间中淹没，也就少一点执迷吧。

“贪看白鹭横秋浦，不觉青泥没晚潮”，清代名臣如左宗棠、曾国藩，书法多端正恢弘，笔力沉着，与文人自我表现的洒脱不同。肃亲王的书风，间架端正，豪末却又有文人的峭丽，已经难摆脱末代的颓靡感伤了吧。

“秋浦”“晚潮”，墨色如烟如雾，如新绽放的芒花。不知道苏东坡最后是否摆脱了政治斗争的纷扰，也不知道肃亲王最后是否摆脱了政治斗争的纷扰。一幅书法，斑驳漫漶，岁月匆匆，贪看眼前白鹭回旋，或许总是要出神，忘了晚潮一波一波袭来，迟早都要淹没了秋天的风景。

爆破西湖

湖上没有船，空空荡荡的西湖，空空荡荡的分不清界线的云、雾、水、雪，像面对一张还没有着墨的纸，一张空白的纸，这么素净。这空白，像是最初的洪荒。

在台湾长大，有机会能去西湖，大概是在台湾解严之后，已经靠近一九八八年了。

在这之前，几十年间，从青少年开始，读了很多关于西湖的诗，看了很多关于西湖的画，知道了很多关于西湖的故事，却一直不能亲身去西湖，不知不觉，已过了中年。

头脑里装了太多西湖历史典故，我与西湖已经不可能“素面”相见了。

风景一旦成了名胜，塞满了太多古人、前人的记忆，往往也就是风景死亡的时刻吧。

名胜常常需要一次记忆的大爆破，使名胜还原成原来的风景。

总成一梦

一九九〇年，绕道香港转机，第一次飞到了西湖。

那天是旧历除夕的下午，天空密布着低低的云层，同行的H说：大概要下雪。

我忽然想起张岱在《陶庵梦忆》里有《湖心亭看雪》一段：“雾凇沆砀，天与云、与山、与水，上下一白。”

天、云、山、水，上下一白，我会看到三百年前张岱看到过的那一天的“白”吗？

下了飞机，直接到西湖，投宿的酒店在孤山旁，地势较高。房间在西楼的七楼，是顶楼了。进了房间，打开窗户，一片轻雾细雪，迷离涌动流荡。

湖水很远，时隐时现。远远一痕起伏蜿蜒的山峰，若有若无，错错落落，随云岚流转变灭。

视觉一片空白，重重叠叠的白，重重叠叠的空，像宋瓷釉料开片的冰裂。不同层次的白，可以如此丰富。

这是台北“故宫”夏圭的那一卷《溪山清远》啊！我心里慨叹着。是纸上大片空白里一缕淡如烟丝的墨痕，淡到不可见，淡到不是视觉，淡到像是不确定是否存在过的回忆。

没想到，南宋人画卷里的心事，在这里，看到了“真迹”。

为什么是那一年除夕的傍晚到了西湖?

为什么是在读了许多西湖的文学、看了许多西湖的画之后才来了西湖?

张岱写《西湖梦寻》的时候，明朝结束了，张岱披发入山，他已经失去了西湖。

《梦忆》里他举一例：有一仆役为主人担酒，一失足，摔碎了酒瓮，不知道怎么办，就咬自己手臂一口，心里想：这是梦吧?

“繁华靡丽，过眼皆空，五十年来，总成一梦。”张岱的句子我是在青年时读的，过了二十年，到了西湖，好像也要咬自己手臂一口，用肉体上的痛告诉自己，这是真的。

约好五点出发游湖，走出饭店，到了湖边，一艘船也没有。想起这是除夕，船家也多回家过年了吧?

湖上一片空蒙，天空微微细雪，风里有蜡梅清新沁鼻香气。

张开眼睛，看到雾、雪、水、天弥漫的一片空白，闭起眼睛，空气里袭来梅花时断时续的香、皮肤上乍暖还寒的温度，听觉里不知何人荡桨，微微水波声，渐行渐近。

一个妇人的声音，在蒙蒙寒风细雪间询问：“叫船吗？”

那舟上妇人的声音如此熟悉，不是第一次听到。

那是曾经渡过我的一条船吗？我咬一咬手臂。

“不回去过年吗？”上船坐定，妇人撑篙，一篙到底，船身慢慢离岸驶去。“载完你们，就回家吃年夜饭。”妇人声音柔软，在风中如轻轻盈盈细雪纷飞消散。

“贵姓？”H问船家。“姓付，付钱的付。”

没有听过这姓氏，想或许是“符”的简写，决定不再多问。

湖上没有船，空空荡荡的西湖，空空荡荡的分不清界线的云、雾、水、雪，像面对一张还没有着墨的纸，一张空白的纸，这么素净。这空白，像是最初的洪荒。

天地还没有分开，一片混沌，然而宇宙要从那空白里诞生了。

我好像听到一声凄怆撕裂的婴啼，从洪荒之初的寂静中爆炸，像是大喜悦，又像是大悲伤；像是繁华，又像是幻灭。

在这空白里的大爆破，将出现什么样的风景？

细雪散了，云散了，雾散了，会有山峦起伏，会有流水潺湲，会有桃红柳绿，会有鸟啼花放。

如果初春三月来，晴日暖阳，会在西湖看到什么？

之二

九十年代之后，两岸来往方便了，一年里好几次到西湖，四处乱走。

不同的季节，不同的时辰，不同的心境，西湖淡妆浓抹，果然有千百种面目。

春日是“苏堤春晓”的西湖，“柳浪闻莺”的西湖。

夏季是“曲院风荷”的西湖，“花港观鱼”的西湖。

入秋是“平湖秋月”的西湖，“三潭印月”的西湖。

黄昏时有“雷峰夕照”看晚霞的西湖，有“南屏晚钟”听净慈寺庙院钟声的西湖。

到了冬天，大雪纷飞，还剩下远远一痕“断桥残雪”的西湖。

“西湖十景”，其实不是景，而是时间，是岁月晨昏的记忆，我一一都到了现场，都看了，都知道了。

却不知道为什么，像发现丢失了贴身的什么物件，急急忙忙回头去找。走回原来的路，原来的长堤，原来的拱桥，桥上镌刻的字，字的凹痕，凹痕里斑驳的苔藓，都还一样；然而，却忘了回来要寻找什么。

初春破晓时分，走上苏堤，曙光微微亮起来，苏堤一路两三公里，千万朵灼灼桃花摇动的殷红，柳丝飞扬耀眼的新绿，千顷粼粼湖水波光。

我一个人，兀自站在一株桃树下发呆。

“发呆啊——”妇人笑着。

一阵寒风，原来在湖心亭。

面前一石碑，妇人指着石碑上“虫二”两个字说：“乾隆在这里题了这两个字，考一考大臣。你们是读书人，知道什么意思。”

船家妇人没有为难，继续往前走。

乾隆聪明，也爱卖弄聪明。大臣中不少人知道“虫二”是“风月无边”，“风月”二字，去了外边，就是“虫二”。但要讨好主子，都装不知道，解不开，让皇帝觉得开心，难倒了别人。

船家妇人大气，讲完就往前走，不在意答案。

我再来西湖，不是因为乾隆碑上的字，而是为了船家没有答案的故事。

春莺啭

有一次去西湖，是给浙江美院讲课，想到刚回国的李叔同也在这校园教书，写了“长亭外，古道边，芳草碧连天”的歌，心里不禁一阵酸楚。

一个学生告诉我：“校门外就是柳浪闻莺……”

我走出校门，在湖边的草地上躺了一个下午。

一条一条柔细的柳浪，在春天的风里翻覆飞扬，春天摇漾，这么柔软，像一条细细长丝。

躺久了，好像懵懵懂懂，似睡非睡，恍惚间满耳都是莺声，轻细的呢喃啁啾，也像初春蚕口刚吐出的新丝。

日本雅乐里还保存了唐代白明达写的《春莺啭》一曲，觱篥、龙笛、琵琶，合奏起来，像一片浩大的春光。

据说是唐玄宗午寐醒来，听到一片莺啼，下令乐工作曲，记下那一日春光里的莺声。

春日渐暖，要有一个午后，躺在西湖南岸柳荫吹拂的草地上午睡。要闭着眼睛，细听一片莺啼，声音如人世间一切微乎其微的琐碎唠叨。

要听到入睡，听到许多脚步声，来来去去。许多人来过，白居易来过，苏东坡来过，张岱来过，乾隆来过，李叔同来过，船家妇人来过，却一个一个陆陆续续又都走远了。

脚步声来来去去，琐琐碎碎，也像一片春光柳浪里的莺声啊。

春天要过完了，走过苏小小的墓，走过林和靖的墓，知道来晚了，只能在墓前一拜。

端午在西湖，总会想起喝了雄黄酒的白蛇，熬耐不住酒在胸口涌动，要显出蛇的原形了。

炎热的风里，有一阵一阵曲院的酒气，混合着荷花的香。

“曲院”是南宋皇室官家酿酒的处所，夏季的风里飘浮酒香。

曲院四周满满围着荷田，溽热夏日，酒曲发酵蒸腾，渗杂在沉甸甸的风里，渗杂着荷叶荷花浓郁的香气，花香、酒香，随风散在四处，让走过的游人醺醺然颠倒欲醉。

“曲院风荷”一景，不是景，其实是全部嗅觉的陶醉沉迷，要闭上眼睛才能感觉。

“曲院”[①]被后人误读为“曲院”，以为是在九曲桥上看风荷，嗅觉记忆被误为视觉，已失去了鼻腔里满满混合风荷的酒香原味。

修行五百年，幻化成女子的白蛇，也敌不过这样夏日浓郁芳烈的酒曲之香啊。

脱去人形，脱去女胎，酒的芳冽让蛇在人的身体底层蠕动，要显原形了。

① 此处及前文中“曲院”原作“麯院”。

西湖要过了夏日肉体的原欲蠢动，过了动物性本能的骚乱，才慢慢有入秋的宁静淡远。一到西湖就看平湖秋月，没有历练春的妩媚，没有过夏日的纠缠执着，一头栽进空寂，或许还是遗憾吧。

张岱若不是先经历了“繁华靡丽”，或许没有机会领悟最终的“过眼皆空”吧。

我意外走到西泠印社，一个青年站在湖边，拿了几锭墨在兜售。我把墨拿在手上看，长椭圆形，镌模是云龙的底，上面“黄山松烟”四个篆字。掂在手上很轻，墨色已脱胶，不是新墨，已很有岁月了。

我问青年：“哪里制的墨？”

青年腼腆，轻声说：“家里旧藏的。”

“写书法吗？”我问。

他摇摇头。

总共没有几锭，我都买下了。

李叔同出家前，把所镌刻的印，封在西泠印社山石壁上，题了四个字“前尘影事”。

我怀里揣着新买的墨，在石壁上找那四个字。

那一年，李叔同三十九岁，在虎跑寺剃发，号弘一。

我看过李叔同青年时在日本上野读美术时的照片，清俊逼人。也看过他在春柳剧社演戏剧照，反串茶花女，穿法国女装，妖娇妩媚，像春日灼灼桃花。

他在虎跑寺落发，多年服侍他的校工同行，看到佛殿地上遗落的头发，校工满眼是泪，就拿扫帚去扫。

弘一阻止了校工，他说："此后这事要我自己做了。"

虎跑寺在西湖外围，桂花极好。

秋分之后，西湖会有暑热过后的清凉，空气里开始流动着初初吐蕊的新桂的花香，但是，似乎都不及虎跑寺的素净清洁。

三罈[①]印月

秋分以后，西湖的光取代了纷红骇绿的色彩。

秋天夜晚，西湖随处走走，满满一整湖都是月光，一整个天空也都是月光。

像是演完戏的李叔同，脱了假发，脱了戏服，卸了妆，落了发，只是回来做真实的自己了。

有一年为公视[②]拍摄西湖，停留比较长的时间，苏堤、花港、风荷，都拍摄了，却在"三罈印月"卡住了。

我在船头，讲述三罈的故事。导演要求话讲完，船刚好绕三罈一圈，最后镜头停在我身后的三罈湖景。

① 罈同"坛"。此处及下文多处保留繁体，后文中有说明。
② 台湾的一家电视台——编者注。

我讲了十余次，船绕了十余次，镜头跟拍十余次，最后一刻，不知道为何，船头总是对不到三罈。

船夫紧张，怨自己得很，他真心希望圆满，但他背对三罈，加上湖上的风时紧时缓，很难控制船身快慢。

我跟他说不是他的错，“抽支烟，休息一下。”

休息时，我跟船夫闲聊，说起苏东坡当初带老百姓疏浚西湖，修堤道，为的是水利，怕湖水漫流，淹没良田，最后把挖出的淤泥堆成岛，岛上立三个石头坛塔，三米高，用来计水位高度。

“真的？”他不知道为什么好像忽然松了一口气，我拍拍他肩膀，两人大笑。另一艘船上掌镜的人听不见，都不知道我们笑什么，我说：“再来一次。”

“三个石罈，每一个罈五个圆孔。夜里，罈心点灯，一个罈会有五个圆形的光。三个罈，十五个圆孔的光。倒映水中，远远望去，一共三十个圆圆的月亮。到了月圆晚上，加上天上的月亮，湖中的月亮，西湖就有了一共三十二个月亮。也有人说，应该是三十三个，再加上心里的一片明月。”

我讲完，船头正对三罈，镜头结束了，所有人鼓掌欢呼，我与船夫击掌大笑。

一千年来，许多人月圆之夜，刻意来西湖，特意找三十三个月亮。

明末张岱就已经警告，七月半，看不到月，只看到人头。

三罈印月，三十几个月圆的光华，印在水中，当然也只是心中的幻象而已。

“三罈”后来也被大众讹传为“三潭”，“三潭印月”听起来好像更有佛理哲思。

西湖风景，有时像东坡跟一千年来执着风雅的人开的一个玩笑。东坡自己也常执迷，但他懂得不时调侃嘲笑自己的执迷，所以可爱。

西湖风景使人如此流连执迷不悟。“三罈印月”，真真假假，却原来只是大胆开示了一夜月光的幻象，像一部《法华经》。

我在净慈寺大殿门上看过弘一大师“具平等相”四字匾额，是我看过尺寸最大的弘一书法。无一点造作，演完戏，卸了妆，只是回来本分写字抄经了。

我为什么要知道这些？知道西湖一千年来的靡丽繁华，然而我的面前只是一片空白。真的是过眼皆空吗？

我咬一咬自己的手臂。

苏东坡修苏堤，的确是为了水利。堤修好了，解除水患，留了六个通水泄洪的桥洞，六座桥一一命了名，堤上间隔种了一株柳一株桃花，他或许没有预料，给此后一千年的西湖留下永恒的风景——苏堤春晓。

白居易来西湖，苏东坡来西湖，在当时都算是贬谪，从中央京城贬谪到偏远荒野。或许因为贬谪，看风景的心情就大不一样。“晴光潋滟”看到的西湖，东坡觉得好，当然，“山色空蒙”的西湖，他也觉得好。生命好像知道了进退，有了平常心，“具平等相”，也就有了看山看水的分寸。

西湖成为古代文人重要的功课。懂得眼前风景只是有缘，能有平等心看眼前色相，晴日或下雨就都是好的了。“回首向来萧瑟处，也无风雨也无晴”，东坡的好句子，都是他借风景做功课的笔记吧。

风景本来也是心事，心事太多，到西湖，却往往也看不到风景。

一次陪几位长辈游西湖，年长于我，他们的西湖典故当然更多。上了船，历历在目，说来说去，都是往事。

那是初春，天气阴晴不定，不多久湖上起风，船家收了布棚，抱歉地说：“上面有安全顾虑，三级风就要收棚回航。”

长辈们当然扫兴，但也优雅，只是轻轻喟叹。

回行途中，开始飘春雨，点细如杨花纷飞，船家聪慧，看出宾客扫兴，在长风细雨的船头低吟长啸一句：“山色空蒙雨亦奇啊——”

我总觉得东坡重来西湖，竟是投胎做了一名在湖上渡人的船夫。

断桥

一年的西湖，从初春的苏堤春晓，看到入冬的断桥残雪，也恰恰是看了生命的繁华璀璨，到最终的沉寂空幻吧。

断桥是白蛇与许仙告别的地方。白蛇腹痛待产，被法海天兵天将逼到绝路，走到断桥，人世情缘眼下都要断绝。从小跟母亲看这一段戏，白素贞白衣素服，在舞台上像一缕冰莹白雪。大段唱腔，一生的事，娓娓道来，真是凄婉。但似乎也知道情爱伤痛都要过去，春夏花红柳绿，也还是要入

《早春图》郭熙

隆冬，处处残雪，只是一片白茫茫大地真干净。

我试了在西泠印社跟青年买的墨，墨色如轻烟，烟在水中散开，轻烟里一层层透明的光。

墨上镌了“黄山松烟”四字，但是现代人不容易理解“烟”的含意了。

烧了松木、桐木，烟往上升，攀附在烟囱四周壁上。扫下这些烟，搜集起来，加胶、加麝香，制成一锭墨。

烟囱愈顶上，烟的微粒愈细。最细、最轻扬、飞到最顶端的烟，才是“顶烟”。

宋人最好的水墨，原是烟的渲染。郭熙的《早春图》，米芾的大字《吴江舟中诗》，纸上绢上的墨，都如轻烟，迷离如一夜湖面上的光。

一九九〇年年末偶然经过纽约，在一家艺术中心看到一挂轴。白纸上斑斑点点，许多火烧灼的痕迹，像是宇宙洪荒初始，错错落落的爆炸、燃烧，霎时我仿佛听到似唢呐的婴啼，好像茫茫空白里要有许多生命出现。

爆炸的火焰慢慢熄灭，尘埃落定，有细如蚕丝的烟，一缕一缕在空白里流窜升起。电光火石的爆炸溅迸，灰飞烟灭的迷离沧桑，那是一千年过去的西湖山水吗？

我看了创作者拼音的名字：Cai……

那是我第一次看到蔡国强爆破的作品，知道一千年过去，宋的墨色如烟，还在纸上说山水故事。

破

每到西湖，总惦记一件事。

第一次走到虎跑寺,庙的后方有弘一落发的草庵。一张竹床,一张草席。

我看到壁上悬挂一件灰布僧衣，上面补了又补，补了不下一百次。我细看每一处破口、每一片大小补丁、每一针脚，一件衣服，如此破旧褴褛，却有人的端庄华丽。想到弘一临终写的“悲欣交集”，想到他最后的句子“华枝春满，天心月圆”，都像在说西湖，我低头在僧衣前合十敬拜。

第二次去，僧衣不见了。草席竹床也不见了。原地修了豪华的弘一纪念馆，塑了真人大小的石像。

我心里一直惦记那件僧衣，不知它是否还在西湖哪个角落。

不知为什么，蔡国强爆破留在纸上火烧后的破洞、焦黑、烧灼、灰飞烟灭，一一都让我想到那件僧衣。

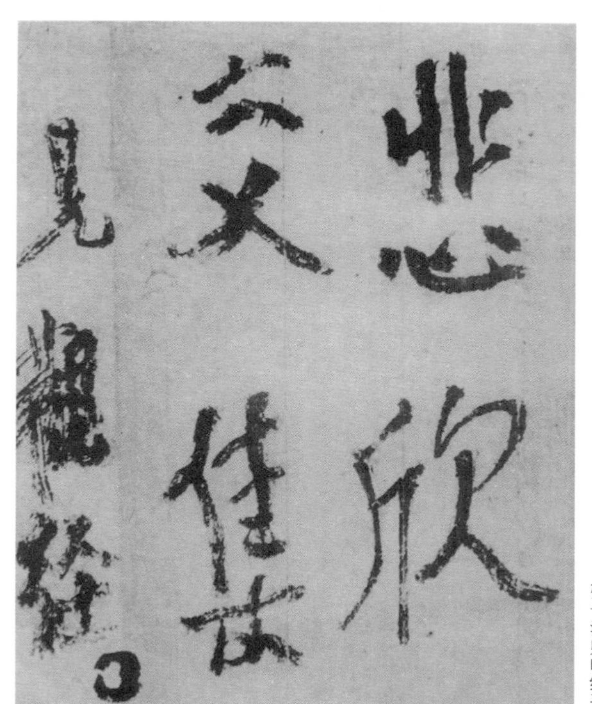
悲欣
交集
見觀經

莫奈的眼睛

一生都在努力追寻光的画家，仿佛忽然领悟，原来光如此留不住。光在自己最爱的肉身上一段一段消逝，一丝一丝消逝，梦幻泡影，不给画家一点点留住的可能。

印象派是大众最熟悉、也最喜爱的画派。印象派或许不应该只从美术运动来观看。事实上，这个画派，与十九世纪四十年代以后欧洲的工业都会发展息息相关，与大众的生活息息相关。

莫奈、雷诺阿的画里，出现火车，出现钢梁铁桥，出现巴黎新修建好的公寓，出现供汽车行走的大马路，出现市民聚集野餐休闲的公园，出现新兴的咖啡馆、磨坊改建的舞蹈娱乐场所，出现了形形色色的绅士淑女的时尚……印象派的画，记录歌颂着最早现代都会市民阶层的大众生活。

同一时间，欧洲学院保守的画家还沉溺于古代希腊的神话怀旧。一八六〇年法国国家美术竞赛获奖的作品，主题还是横躺在波浪上唯美的维纳斯。然而年轻的莫奈、雷诺阿、德加，他们的眼睛已经看到了自己的时代。如同诗人波德莱尔对保守派的质疑：“我们的时代不美吗？”印象派的眼睛看着自己的时代，看着街头形形色色走过的男男女女，看着都会的繁华缤纷，即使是浮光掠影，那刹那间稍纵即逝的光，也让他们的眼睛亮了起来。

今年夏天在芝加哥美术馆看了一个题名为“印象派与时尚”的大展览，吸引了无数观众。展览就是以莫奈、雷诺阿画中的人物服装饰品探讨十九世纪以巴黎为主的时尚流行。

艺术创作活在自己的时代，书写当代，绘画当代，思考当代，都必须从观看当代的眼睛开始。

肉眼

莫奈生在巴黎，五岁跟随父母迁居诺曼底的勒阿弗尔（Le Havre）。他中学时代就不喜欢读书，却迷上了漫画。那时“漫画”有与今天不同的含意。十九世纪中期，法国报纸兴起，成为大众生活的重要信息来源。报纸除了文字新闻报道，常常会有石版印刷的快速人物速写，勾勒政客嘴脸，或调侃时尚名人，用来吸引读者，使大众发笑。这一类漫画讽刺意味较强，像最著名的杜米埃（H. Daumier），当时就常常因为这种批判时事的政治漫画（caricature）被当权者逮捕坐牢，但他刊在报纸上的讽刺漫画受到大众百姓的喜爱。

莫奈十五岁左右就以创作这种漫画在诺曼底的勒阿弗尔小有名气，也可以在绘画文具店橱窗展出作品，卖给外地来的观光客，赚取生活费。

勒阿弗尔有海港的活泼，各色人种来来往往，莫奈用敏锐的眼睛，快速勾勒人物特征。他画表情夸张鼻子通红的谐星，他画头上缠条纹方格布巾的非洲黑种女人，他画叼着大雪茄烟的绅士——这些人物与少年莫奈都无深交，他一眼看到，快速勾勒，头大身体小，抓住特征，夸张特征，博观众一笑。

莫奈很得意，这些漫画使他年纪轻轻就能吸引别人注意，能成名，还可以赚钱。

莫奈在用他聪明锐利的肉眼观看人间，肉眼犀利准确，使他有了最早的绘画成就。

天眼

莫奈十八岁认识了大他十六岁的画家欧仁·布丹（E. Boudin）。布丹在诺曼底勒阿弗尔海边画画，他是法国最早从室内走向户外的画家，是最早直接面对户外海景天空写生的画家。他在画面上画海景，常常留出三分之二以上的空间描绘天上一朵一朵云里变化万千的光线。

因为火车通车，巴黎市民阶层的绅士淑女开始到海边度假，穿着时尚的都市服装，拿着洋伞，在海边悠闲散步。布丹画海景，画天空，被当时绘画界封为“天空之王”，然而他的画作里有穿黑色西服的绅士，有穿蓬蓬裙的仕女，有专门为都市男女设置的太阳伞和躺椅。都会度假休闲文化打开了欧洲绘画的风景主题，使绘画从室内走向户外，迷恋起户外瞬息万变的光。布丹绘画海滨度假的都市中产阶级，而他的作品最早的购买者，也正是这些都会的新富阶层。

布丹的画也在勒阿弗尔橱窗展示出售，他因此认识了在漫画界刚刚崭露头角的莫奈。布丹看少年的作品，赞扬他的眼睛锐利准确。但是布丹邀请莫奈跟他一起到海边画画，邀请莫奈一起看海面上的光，看天空的光，看光在日出日落的时间里惊人的变化。

如何画下准确而犀利的光?

得意于自己肉眼成就的莫奈，会不会一下子陷入一种前所未有的沮丧?

如何去抓住光?可以用讽刺漫画的夸张去描写光吗?

莫奈一生重复表达对布丹的感谢，他说，布丹是我永远的老师。他说:没有布丹，就没有莫奈。

在莫奈成为印象派的宗师之后，他知道生命里有一个关键的时刻，是遇到了布丹，使原来满足于肉眼的犀利、满足于讽刺、在讽刺里沾沾自喜的自己，有了反省，有了改变的可能。

莫奈学会了布丹长时间坐在海滨的孤独安静，学会布丹在浩瀚的光前面收敛少年轻狂的讽刺，学会一整天看海面的光的变化。看着光的变化，觉得沮丧，画不出来，觉得无能为力。然而正是这种沮丧，让原来得意于自己犀利肉眼的莫奈，学会了天眼的广阔包容，学会了谦卑。

不知道自己渺小，或许永远看不到伟大。

慧眼

莫奈在二十岁左右到了巴黎，带着被布丹开启的眼睛，看着都会的繁华。他进了格莱尔（Charles Gleyre）画室，跟同样年龄的文艺青年日日相处，梦想着创造新时代的美学。他们一起画画、讨论作品，他们包括了雷诺阿、西斯莱、巴齐耶、德加、摩里索、塞尚、毕沙罗……

一个绘画历史上辉煌的名单，在长达十几年间，他们被主流排斥，被学院保守者打击，他们的作品一次一次从国家竞赛中落选，被轻视、被谩骂、被讽刺……

然而已经开启了天的眼睛，人世间的琐碎或许可以不那么扰乱莫奈走向自然广阔的安静笃定吧。

莫奈二十五岁爱恋上画室模特卡蜜儿，卡蜜儿父母不同意女儿跟上这么没有前途的穷画家，不同意他们结婚。然而他们同居了，一八七六年有了男孩，到男孩三岁，才被容许正式结婚，莫奈仍然生活在困窘潦倒中。

莫奈站在黎明前的勒阿弗尔海港边，全神贯注，等待水面上第一道日出的光。凝视那一道光拉长、闪烁，在水波上颤动，他拿起画笔快速在画布上记录，留下了《日出印象》这件划时代的名作。

《日出印象》参加国家竞赛，还是落选了，评审觉得粗糙没有细节。三十五岁左右的许多画家，忍受十年的落选后，终于决定自己办一次“落选展”，对抗始终不能面对自己时代的保守的官方美展。

这是“印象派”团体第一次的集结展出。

《日出印象》一八七四年展出，被报纸报道，充满讽刺的批评文字，选用了“印象”这样的字眼嘲讽莫奈，也嘲讽一个时代全新的美学努力。

讽刺，因为太酸，有腐蚀性，伤害他人，也伤害自己，却不能正面建立有意义的事。

但是，没有人想到，“印象派”的名称，从讽刺而来，却成了历史的碑记。莫奈因此被称为“印象派的命名者”，然而大家常常忘了那位存心讽刺的批评家的名字。

法眼

一八七七年莫奈以圣拉札尔火车站画了一系列作品，一八七八年他又以巴黎世界博览会旗帜飘扬的蒙托哥街画了一系列作品。感觉得到在十九世纪七十年代，他对都会新兴文明的兴奋。面对着汽笛鸣叫、冒着浓烟向前冲来的火车头，他试图一次一次记录下那在月台上等待出发的狂喜。

工业、机械、钢铁、油烟、煤炭，工业初期，一切饱含生命力的能源物质都让他兴奋。

然而，莫奈在一八七九年将面临他生命一次重要的转折——与他生活在一起十数年、生了两个孩子的妻子卡蜜儿罹患重病。九月二日卡蜜儿临终弥留，莫奈守在床旁边，快速记录下妻子的面容。躺卧在病榻的卡蜜儿，交握着双手，闭着眼睛，脸上的光，逐渐消失，消失在一片一片快速逝去的暗影中。这个莫奈熟悉的肉身，这个长年一直在莫奈的画中出现的肉身，这个莫奈曾经如此爱抚拥抱的肉身，这个不听医生警告、忍痛生下第二个孩子的肉身，就在莫奈眼前，刹那间要烟飞云散。

画家能够留住什么吗？

莫奈或许在做他人生艰难的功课吧？不是美术的功课，不是画布上的功课。画家一旦要用生命本身去书写的时候，技巧、色彩、笔触都如此无力。

一生都在努力追寻光的画家，仿佛忽然领悟，原来光如此留不住。光在自己最爱的肉身上一段一段消逝，一丝一丝消逝，梦幻泡影，不给画家一点点留住的可能。

莫奈在卡蜜儿去世后，沉寂了一段时间，一位收藏家的妻子爱丽丝为他照顾两个幼儿。爱丽丝自己有六个小孩，丈夫破产，逃亡比利时。爱丽丝和莫奈，仿佛相濡以沫，在吉维尼乡下找到栖居之所，带着八个孩子，开始了新的生活。

从一八八三年到一八九一年，长达八年，莫奈走在吉维尼的旷野中，持续画一个主题——干草堆。

世界各大博物馆都有莫奈的《干草堆》，或一两张，或三四张。如果看到三十几张《干草堆》，组合起来，会看到一个画家如何走在收割的麦田中，如何凝视观想一堆一堆废弃的干草。干草堆在田间，日出日落，雨天晴天，雨雾风雪，慢慢腐烂风化，在尘土中消逝，像人的身体一样，像一切物质一样，梦幻泡影。

莫奈在黎明等待干草堆上第一道曙光，在夕阳里等待最后一线阳光消逝，看到月光照亮草堆的轮廓，看到大雪覆盖着的草堆。一个最卑微平凡的主题，不像风景的风景，莫奈看到了。没有讽刺，没有批判，甚至没有要“抓住”的欲望野心，他回复到单纯的看，好像希望看到物质的本质。

一定有一种眼睛可以看透物质的本质吧？那些在光里消逝的物质，那些如此具体的肉身，到哪里去了？

可以看到吗？莫奈用世人不容易了解的眼睛看着时光里的物质，他在修行自己观看事物的另一种能力吧？

“干草堆”系列持续创作了八年。此后莫奈的作品常常是长时间对同一主题的重复观察，像“鲁昂大教堂”系列，像伦敦的“泰晤士河与国会大厦”系列。主题或许只是一个借口，莫奈真正要观察的是同一个主题在漫长时间里光的变化。他最后持续最长时间的系列创作是“睡莲”，在长达二十几年的时光里，完成无数巨大尺寸的画作，成为他留给二十世纪最重要的精神象征。

佛眼

一八八三年开始，莫奈在吉维尼农村找到一处地方，租了一块农田，把谷仓改成画室，开始画附近的风景。他的第二任妻子爱丽丝，和八个孩子，一起整理这个农庄。莫奈卖画，逐渐有了收入，把农庄买下来，栽植花木果树。他一直向往东方，因此开辟水塘，引水渠种植睡莲，水塘四周栽植垂柳。他看过日本浮世绘版画，向往画中拱桥的优雅，就在水塘上也建造了一个“日本桥”，桥拱上攀爬着紫藤。

他是为画画开辟了花园，而花园也变成他重要的作品。莫奈花园是一个画家心灵的净土。

这个著名的莫奈花园（Monet's Garden），在他第二个儿子米歇尔去世后捐赠给了法国政府，成为公众财产，是全世界游客认识莫奈、怀念莫奈的重要地方。

进入二十世纪，莫奈六十岁，他经营的花园已经绿荫蓊郁，一年四季，不同的花朵提供各种不同的艳丽色彩。他开始画自己的花园，画自己亲手培植的花卉树木：睡莲、垂柳、鸢尾、百子莲、萱草、玫瑰……

花园其实不大，他从各个不同的角落画，在不同的时间画，晴天的睡莲，雨雾里的睡莲，月光下的睡莲，夕阳回光返照的睡莲，垂柳倒影中浮起来的睡莲。莫奈像用蒙太奇的电影手法拼接不同时间里的睡莲。每一个刹那，睡莲都如此无常，下一个时刻就要改变，或绽放，或凋零，如梦幻泡影。然而在长达三百厘米，长达十米、十六米的横向空间里，莫奈用类似东方“手卷”的移动方式，让观看者一面走、一面浏览着每一段睡莲。从绽放到凋零，从凋零又到重生，莫奈要说的故事仿佛是一朵花在表象以外的故事。

七十岁以后的莫奈面对生命更艰难的功课：一九一一年，妻子爱丽丝去世；一九一二年莫奈右眼因白内障失明；一九一四年长子去世；接下来是长达四年的第一次世界大战。

《从玫瑰园望过去的房子》 莫奈

莫奈孤独地面对他的花园，视力模糊到无法选择颜料，他常常要询问助手：这管颜料是什么？

他没有停止创作，他在同一个时间画好几张巨大的画。花园外面炮声隆隆，他在盲人般的黑暗里摸索着光，摸索着色彩。

是因为视觉关闭了，才有机会开启心灵的眼睛吗？

如果到巴黎橘园美术馆，走进莫奈最后创作的两个睡莲的环形展厅，墙壁四周环绕着睡莲，观看者被睡莲包围，听到风声、雨声，日出日落，春去秋来，睡莲一朵一朵绽放，画家仿佛可以听到那么安静的花瓣打开的声音。

莫奈在一九二三年八十三岁高龄动眼睛手术，恢复了视力，他绚烂的色彩像喷出的熔岩，浓郁纠结，已经成为医学与美学共同关注的重要个案。

玛摩丹美术馆的莫奈最后期作品，多是家人捐赠，是莫奈画室留下的私密作品，因为不出售，甚至没有签名，或许是难得观看莫奈真实创作过程最好的资料。其中有许多正是他白内障失明到恢复视力阶段的作品，在一团一团纠结的色块与流动的线条里，使人想象莫奈关闭视觉时依凭心灵创作的自由状态。

土耳其作家奥尔罕·帕慕克在《我的名字叫红》里写到古奥斯曼帝国的宫廷画师，画最精细的细密画，视觉锐利到极限。然而最好的画师刺瞎双目，不再依靠视觉。他仿佛知道，美是视觉看不见的。

莫奈眼睛曾经如此犀利聪明，为此，他要用一生八十六年的岁月，来让身体上其他的眼睛一一打开。

幸福，雷诺阿

雷诺阿一生用了两种截然不同的女性图像说着同一个幸福的主题，使人怅然若失，又使人啼笑皆非，然而都是多么真实而难以把握的幸福啊。

回想起来，年轻的时候，好像没有喜欢过雷诺阿。

二十世纪的六十年代，台湾的文化出版流行一种“悲剧艺术家”的书，好像不悲剧不能成就艺术。

雷诺阿的绘画，从表面上看，是一点也不悲剧的。他总是被称为幸福、甜美，在那一崇尚悲剧的时代也因此容易被文艺青年忽视吧。

一般文艺青年很自然受一个时代风气习染。六十年代前后的台湾，早逝的王尚义，他的《野鸽子的黄昏》总在青年手中，他的死亡成为一个时代的记忆。尼采的疯狂悲剧哲学，《查拉图斯特拉如是说》一开始，先知对太阳说：“伟大的星球，若不是我的存在，你的伟大何在。”

孤独、疏离、荒谬，青年们嗜读加缪的《异乡人》，好像也因为他的车祸猝逝，使创作者的生命可以如此风驰电掣，死亡变成一种悲壮的完成。

绘画艺术中，又割耳朵，又住精神病院的凡·高，对抗世俗、疯狂，在致死寂寞中如烈焰般燃烧自己，三十七岁在飞扬起暮鸦的麦田中举枪自尽。不只是他的艺术，他的生命本身，更像是一代文艺青年渴望挥霍自己青春的悲剧典范吧。

生命存活的意义何在？

如果生命不想苟延残喘，不想像痖弦《深渊》的诗句“厚着脸皮占地球的一部分……”，青年们宁可向往不可知的、模糊的悲剧。对抗妥协，对抗苟活，借着文学艺术，宁为玉碎，寻找着仿佛集体毁灭式的快感。三岛由纪夫在盛壮之年，用利刃切腹，撕裂自己最完美的肉体。他的悲剧自戕，像他的小说《金阁寺》，在熊熊巨大火焰里灰飞烟灭，如此干净纯粹的死亡，嘲笑着世俗“厚着脸皮占地球的一部分”的邋遢肮脏的苟活。

青年耽溺的死亡悲剧或许与文艺无关，而是生命在苦闷虚无年代反叛式的控诉与抗议吧。

文艺青年如果不是在青年时就像王尚义，留下猝然夭逝的传奇，不幸或有幸活下来了，大多要因此做更多的功课。而在年轻耽溺青春夭亡的时刻，其实并不知道，如果活下来了，生命漫漫长途，后面会有什么东西在等着自己。

雷诺阿便是在生命长途的后段等着告诉我什么重要话语的创作者吧。

陶瓷工匠

雷诺阿生在一八四一年，比莫奈小一岁。他是法国外省小城利摩日（Limoges）的一个工人家庭的孩子。利摩日像台湾的莺歌吧，中世纪以来就是生产陶瓷的工艺小城，一直到今天，仍以仿制中国的青花瓷著名。雷诺阿童年就在当地陶瓷工厂工作，以他特别敏锐的绘画天分，在精细瓷器上以釉料从事彩绘的工艺。这一从小熟悉的手工，在他后来的绘画创作上产生了极大的影响。雷诺阿对精细工艺的兴趣，对瓷器彩釉里特别润泽的光与细致优雅的笔触质感、华丽的色彩的感受根深蒂固，成为雷诺阿美学的核心基础。他以后画作里的女性都有温润如玉的肌肤。他处理油画笔触滑腻透明，有时色彩渗油晕染混合，仿佛陶瓷表面彩釉窑变，都像是来自他童年对瓷器表面精美釉料彩绘的记忆。

雷诺阿后来成为印象派创作上的大画家，然而他与法国民间工艺关系密切。他也曾经制作类似女性折扇一类精细描绘的外销装饰工艺品。青年时在罗浮宫临摹，他也对法国洛可可时期作宫廷裸女画的布歇（Boucher）特别钟情。或许，雷诺阿在贫穷的工人家庭长大，一直向往贵族甜美华丽优雅的生活，他的现实生活的贫穷，恰好在创作艺术时得到弥补。他的画中洋溢着的安逸、甜美、幸福，竟像是他现实生活缺憾的补偿。

印象派是西方艺术史上影响最大的一个画派，印象派里最重要、知名度最高的两名画家，就是莫奈与雷诺阿。

莫奈生于一八四〇年，比雷诺阿大一岁，他们童年都不在巴黎。雷诺阿的故乡是陶瓷小城利摩日，莫奈则是在诺曼底的勒阿弗尔长大。雷诺阿童年靠陶瓷彩绘维生，莫奈父母经营小杂货店，他青少年时就出售人物卡通漫画。他们创作最早的起步都植根于生活，而不是只讲技术的学院美术。

巴黎在工业革命后形成大都会，经过十九世纪五十年代行政长官奥斯曼（Haussmann）的大巴黎改建，火车通车，行走汽车的马路四通八达，巴黎经由工业革命，变身成为外地农业、手工业小镇青年向往的现代大都会。

许多年轻人涌向大都会。二十岁前后，莫奈、雷诺阿也都到了巴黎，带着他们的梦想，带着他们来自外省小城的纯朴生命力，要在繁华的巴黎崭露头角。十九世纪六十年代他们相继进入格莱尔画室，与西斯莱、巴齐耶成为同门师兄弟。

新中产阶级

感受到新时代工业的、都会的节奏，感觉到机械文明带给时代的激昂与兴奋，行走在巴黎的大街上，新崛起的中产阶级，衣着时尚，谈吐优雅，坐在咖啡馆，欣赏歌剧、芭蕾，在公共磨坊空间相拥起舞。他们光鲜亮丽，富足而自由，享有工业带来的一切美好便利，他们就是印象画派的真正主人——新巴黎人。他们感觉到自己的时代如此美好，他们不怀旧、不感伤、不沉闷痛苦，他们要活在自己的时代中，他们要用文学音乐歌颂自己的时代，他们要绘画出自己时代光辉亮丽开明而愉悦享乐的都市风貌。

一八七四年莫奈以一张《日出印象》为印象派命名，追求户外瞬息万变的光，印象派也被称为“外光画派”。

但是仅仅从绘画视觉上解释印象派的光与笔触，并不足以了解这个十九世纪七八十年代的美学运动。美学并不只是技巧，而是与一个时代政治经济社会全面的变迁息息相关。

一八七四年莫奈面对旭日东升的刹那印象，创作属于自己时代的风景。然而雷诺阿在新建好不久的歌剧院包厢，记录了巴黎新中产阶级文化休闲生活华美的时尚。莫奈捕捉自然风景，雷诺阿记录人文风貌，他们共同创造了自己时代全新的美学。

印象派的画可以谈光、谈笔触、谈色彩，但是印象派除了绘画的技巧变革，也更是一个时代社会变革的图像记忆。

以社会变革的图像记忆来看，雷诺阿以新巴黎中产阶级生活为主题的画作也许更具时代标签的意义。

一八七六年雷诺阿创作巨幅的《煎饼磨坊的舞会》，最可以作为巴黎新中产阶级崛起的社会记录来看。

工业革命后，许多原有的磨坊空间改装成都市人社交、表演、舞蹈的场所，劳特累克（Toulouse Lautrec）的《红磨坊》也是一例。晚三十年，劳特累克画里的磨坊空间挤压着社会边缘者讨生活的辛酸。然而雷诺阿的《煎饼磨坊的舞会》里，巴黎新中产阶级如日中天，他们穿着时尚，男男女女，或相拥起舞，或轻言款笑。阳光从树隙洒下，天光云影，如此风和日丽。这是工业初期都会男女的富足悠闲，他们享受着工业带来的便利，还不需要忧虑都会以后要面对的拥挤污染罪恶的质变。雷诺阿述说着欧洲文明史上最明亮光辉的一页，他的绘画像是衬在华尔兹美丽轻盈旋律中的舞步，画面中的每一个男女都仿佛要飞扬起来。

《煎饼磨坊的舞会》和传统欧洲人物肖像不同，画中不再有个别的贵族、英雄。都会的新英雄不是个人，而是集体创造财富的新中产阶级。

比雷诺阿早二十年,大约在十九世纪五十年代后期创作的巴比松画派，像米勒的《拾穗者》（一八五七年）、《晚祷》（一八五九年），都还在记录农业沉重劳动的庄严。仅仅二十年过去，工业革命在都会生活上翻天覆地的改变，立刻影响到雷诺阿画作，出现截然不同的时代主题，《拾穗者》里物质的匮乏贫穷，体力劳动的辛苦沉重，一下子转变为都会中产阶级富裕享乐的轻盈华美。

从沉黯到明亮，从沉重到轻盈，雷诺阿和印象派画家完成了时代的美学革新。

富裕休闲生活

工业、科技、机械，大量减低了农业时代人类的劳动量。许多劳动被机械取代，造就了人类文明史上从未有过的悠闲。巴黎到处出现供都会男女休闲社交的咖啡店，十九世纪七十年代，即使有普法战争，有工农革命的巴黎公社,这些社会动乱却丝毫没有打断城市都会休闲娱乐生活的节奏。

《煎饼磨坊的舞会》 雷诺阿

雷诺阿的《包厢》（一八七四年）、《煎饼磨坊的舞会》（一八七六年）、《夏邦蒂埃夫人和孩子们》（一八七八年）、《游船上的午餐》（一八八一年），连续几件划时代的巨作，告别了农业，告别了乡村，把视觉艺术的焦点转向都会，转向新崛起的城市中产阶级。

《夏邦蒂埃夫人和孩子们》中的女主人穿着黑丝蕾纱的长裙，闲适优雅地坐在客厅中。她的沙龙不只是一个客厅，她身边两个女儿浅粉蓝的衣着，爬在脚边的黑白毛宠物，地上铺的地毯，身后孔雀图样的东方围屏，小几上陶罐的花束，波斯式的玻璃水瓶……沙龙不只是财富的炫耀，也许更深的美学意涵是文化教养。

一个社会仅仅拥有财富是不够的，如果没有一张雷诺阿《夏邦蒂埃夫人和孩子们》这样的画作留下来，社会富有过，也只是伧俗而喧嚣的空虚吧。

展示在纽约大都会美术馆的《夏邦蒂埃夫人和孩子们》是雷诺阿前期的名作，也是全世界都会生活向往的沙龙教养的典范。

一八八一年雷诺阿创作了《游船上的午餐》，这张收藏在华盛顿首府的画作，曾经是世界上第一件跨国银行用来制作信用卡的绘画。

夏日阳光灿烂，男子着白背心、麦草草帽，女子抱着哈巴狗亲吻，红白条的船屋篷顶，桌上的水果、奶酪、红酒，如此富足丰盛的物质，如此美好的岁月，悠闲享乐的生命，没有忧虑，没有匮乏，安逸甜美。

然而我们知道创作这些画作时的雷诺阿常常连颜料都购买不起。

一张用来发行信用卡的绘画，鼓励着消费、度假、休闲，鼓励着物质的富足，鼓励着无忧无虑的甜美生活，然而画家却是在贫困中造就着一个时代的梦想，巴黎都会化以后的梦，全世界城市都会化以后的梦。隔了一个半世纪回看雷诺阿画中留下的工业初期的人类梦想，这些挥之不去的记忆图像，像是繁华，又像是浮华，都已不堪回首。

病痛与赤裸肉体

十九世纪八九十年代雷诺阿持续创作了杰出的“舞会”系列和“钢琴少女”系列，稍稍在卖画中改善了生活的贫穷画家，仍然向往着文化与教养中优雅甜美的女性。

然而他不知道，过了五十岁，生活的富有得到了，他却罹患了类风湿性关节炎。身体上关节的痛，日复一日折磨着画家。逐渐衰老病痛的肉体，坐在轮椅上继续创作，看着面前年轻丰腴红润饱满的模特的肉体，创作了他后期完全不同的女性形象。

一八九二年以后，雷诺阿类风湿性关节炎日趋严重，关节变形扭曲剧痛，使他早年优雅细致的画风逐渐转变。进入二十世纪以后，他用色愈趋饱和大胆，笔触愈趋粗犷狂野，从文化休闲生活中的优雅女性主题，转变为肉体丰腴饱满的赤裸女性。晚年的雷诺阿，特别是在进入一九一〇年之后，已经是七十高龄，在他的自画像中显得清癯干瘦，面容身躯都有些枯槁的衰老病痛画家，长年坐在轮椅上，然而他却创作了一幅又一幅色彩鲜艳的裸女。

《大浴女》 雷诺阿

法兰西洛可可时代宫廷绘画里的裸女传统，在雷诺阿的笔下，以更世俗艳丽的色彩温度出现。这些裸女画，洋溢着肉体野性的气息，徜徉在树林间，在海隅，在蓝天下，在泉水边，炎热的夏日，清凉的沐浴，沐浴完用白色浴巾擦拭着腋下、胯下。

肉体如此真实。

画家的关节剧痛到不容易执持画笔，右边肩膀关节瘫痪，手肘瘫痪，手指瘫痪，然而画笔坚持艰难地在画布上挪移摸索，画面上迸放出幸福到不可遏制的华丽丰美的女性肉体。

一九〇七年移居到法国南部普罗旺斯滨海的卡涅之后，他的画室里，轮椅成为必要的配备。每一天清晨，他让仆人把自己固定在轮椅中，面对着模特青春健康的肉体，他在画布上用最激昂的色彩笔触捕捉一寸一寸肉体的气息。与早年画中优雅有文化教养的女性如此不同，在身体衰老剧痛的煎熬中，老画家好像有了领悟：生命的幸福，原来可以只是紧紧拥抱着这样纯粹有热烈温度的肉体。所有光鲜亮丽的服饰珠宝，所有高贵文雅的礼仪，仿佛都不如一寸一分真实的肉体那么具有现世的意义。

老画家在绘画的世界肆无忌惮，狂暴热烈地沉迷耽溺在这些肉体中，好像要借这样的肉体告诉世人他青年时不懂得的幸福。

一九一八年第一次世界大战结束，他在临终前一年创作色彩丰艳的《大浴女》，像是呼唤远古神话诸神美丽肉体的长篇颂赞，然而，画家自己的肉体就要走了。

青年贫穷时梦想富足、优雅、闲适，老年病痛时向往赤裸丰满肉体，雷诺阿一生用了两种截然不同的女性图像说着同一个幸福的主题，使人怅然若失，又使人啼笑皆非，然而都是多么真实而难以把握的幸福啊。

不知道雷诺阿画中最后的幸福会不会是另一种无言而深沉的生命悲剧。

肉身故事与神话世界

仰望星空，还是想重说一次织女与牛郎的故事，他们的爱悦、眷恋、贪欢，都如此真实；他们的分离、孤独、渴望，也如此真实。

好几年没有在冬季回到巴黎了。有一点忘了这个城市在没有花的缤纷、没有树叶浓荫的冬天，原来是这么萧瑟、清冷、澄净，像水晶或琉璃中凝冻的光，像波德莱尔的一句散文诗。

灰色的天空浮走着灰色的云，高大刺入天际的梧桐、橡树的枝茎，一缕一缕，像倒悬飘扬的发丝，在寒风的流光里摇晃颤动。

走过一片一片铺得厚厚的枯叶，听到地上沙沙作响。是自己留在枯叶上的脚步声，也是他人的脚步声，错综叠沓，仿佛许多世纪以来走过、却始终走不过去的脚步的声音，在一个冬季的枯叶上停留着，和风、和雨水、和残雪混合，透露出一点慢慢腐烂却十分清新鲜明的植物的气味。

走过塞纳河，有一点忘了河流可以如此潺潺湲湲，流着银灰色如金属一样冷静的光，在桥墩下回旋荡漾，仿佛徘徊、踟蹰、犹疑，舍不得立刻就走；然而，终究浩浩荡荡朝向夕阳遥远宽阔的天边澎湃汹涌流去了。

冬季的巴黎，像路旁竖着衣领匆匆快步走过的路人，目不旁视，好像不希望被人看见，要在一阵风里消逝。除非强风吹掉了帽子或围巾，只好抱怨着，一脸不高兴，但还是必须回头追着风、赶着去捡拾。

低头捡起帽子，发现一地都是落叶，四处翻滚散落，然而没有一棵树会低下头多看一眼。

城市的时光是这样逝去的，都以为只有自己留下脚步声，却不容易听见每一世纪所有走过的脚步声都还留在枯叶上，没有一个曾经离去。初读加缪，也总是听到他沙沙的脚步声踩在入冬以后河边的枯叶上。

锁

河上的几座桥，到了冬天，不常有行人。

艺术桥（Pont des Arts）在夏天的傍晚，挤满人群。认识的、不认识的，靠在一起，讲话、抽烟、喝酒，很快熟了，拥抱着，或很快分手了，说：再见。但大部分知道，不会再见了。

见面与分手都不艰难，好像也少了情感的深度。

不知道为什么，艺术桥的铁栏杆上这两年突然多了好多锁。第一次看到这样密密麻麻上千上万的锁，是在二十世纪八十年代的黄山，沿路的护栏上也是这样密密麻麻扣着上千上万的锁。有专门卖锁的人，替游客把姓名快速镌刻在锁上，扣在护栏上，发愿、祝祷，永远在一起，然后把钥匙远远扔向山谷。没有钥匙的锁，再也打不开的锁，祈愿的人好像也相信可以永远不分开了。

我细看了一下，锁上镌刻的名字，很多是夫妻、爱侣，两个人的姓名，有时候圈在一个同心结中。也有的姓名是兄弟三人，或姊妹俩人。也有贪心的，把一家父母兄弟姊妹都刻上去，加上“不离不弃”“永不分离”等字样。

黄山山路陡峻、坎坷、崎岖，风景奇险，步步惊魂。一路上看着这么多锁，这么多锁上的名字，这么多海枯石烂、生死不渝的铭刻，这么多没有钥匙、永远打不开的锁，这么多希望不再分离的亲人爱侣的愿望，心里一阵一阵心酸。

“文革”刚结束不久，大概知道，重新活下来的、亲爱的人可以在一起生活，是多么恐惧离散，要用一把一把的锁，把彼此锁在一起，要把可以打开锁的钥匙用力扔到远方。

其实，在华人传统里，一直有给孩子颈脖上挂锁的习俗。孩子诞生，亲友送礼，也还会用黄金、白银打一个锁片做礼物。我去巴黎读书时，母亲给我打过一个特大号的银锁片，我当时其实还不知道“锁”在一起，对战乱中离散过的人有多么深重的象征涵义。

但是，华人“锁”的符号象征，为什么会漂洋过海到了巴黎？是华人观光客在这城市的祈愿吗？美好的度假时光，把自己跟亲人锁在异国的城市桥梁上，把钥匙扔进塞纳河里，再也找不到，再也打不开，就可以生生世世不再分开了。

半个世纪以来，相见与分离都不艰难的巴黎人，可以了解这样一把一把锁相扣、相堆栈、密密麻麻牵连纠缠在一起的象征意义吗？

石头

永世不再分开，是说肉身的不离不弃吗，还是说心灵的牵挂缠绵？那像是神话里的故事，像普罗米修斯把火带给人类，因此受诸神诅咒，惩罚他的肉身，永远锁在悬崖岩壁上，每日被兀鹰撕开胸膛，啄食肝脏，夜里复原，次日再受撕裂啄食的剧痛。

跟普罗米修斯锁在一起的，几世几劫，只是天荒地老坚硬冰冷永不动情的岩石。

后来，赫拉克勒斯来解救他，为普罗米修斯剪开铁链，但是，为了要瞒过诸神监视，就让一块岩石跟普罗米修斯永远锁在一起，永远不会分开。那是诸神的锁，是永世的诅咒，永远打不开。

普罗米修斯身上那一块永远解不开的石头，常让我想到《红楼梦》一开始丢弃在大荒山、无稽崖、青埂峰下的那一块石头。

那一块石头自怨自哀，几世几劫，就修成了人的肉身，他（它）转世投胎，来到人间，就是贾宝玉。宝玉诞生时，口中还衔着那一块石头，石头上镌刻了字“莫失莫忘”，系了五彩丝绦，挂在颈项上，也就是人人称赞的“宝玉”。

或许，有缘就是宝玉；撒手去了，其实也只是洪荒中一块可有可无的顽石罢了。

青埂峰下那一块石头，永远锁在普罗米修斯身上的那一块石头，都是神话世界的肉身故事，流浪生死，几世几劫，要了结自己与自己肉身的缘分。

华人的世界，肉身的故事，是一块大荒中的石头，一株灵河岸边的绛珠草。那肉身还是草木顽石，还没有人的形貌，连动物的体温也还没有，然而它们向往成为人，即使要在人间尘世受爱恨之苦。

白蛇的故事也是用几百年的时间，日日夜夜，取日月雨露精华，修成女子的肉身。如此艰难，要忍受几世几劫的孤独，一心修成肉身。然而肉体刚刚取得，这女子的肉身就要去西湖岸边，在春日的细雨迷蒙里遇见宿命中锁在一起的另一个肉体。

有人觉得巴黎桥梁上的锁很丑，有人觉得在桥上兜售锁的商贩很坏，像诈骗集团，敲诈观光客。有人觉得两个游客傻傻地买锁，刻名字，念念有词，不离不弃，把锁锁好，把钥匙丢进河里，真是很愚蠢。

“太愚蠢了！”我听到有过路的人摇头叹息。

但那两个默祷的人，手指相扣，不会听别人琐碎唠叨。他们一心一意的虔诚专注，也让我觉得心酸。

祈愿，对不关痛痒的局外人，本来就是愚蠢的吧。

不知道白素贞当年如果知道她的结局,是否还是决定要去游湖、借伞?

法海其实是那个在旁边一直琐碎唠叨的旁观者,他总是自作聪明:“蛇怎么可以跟人恋爱?”脑中有枷锁,打不开,千方百计,一定要拆散许仙白蛇。

神话让人谦卑,因为好的神话都不在意结局。白蛇的结局会有不同的版本,她(它)是被法海压在雷峰塔下受永世的惩罚,还是终于在儿子跪拜下塔倒现身?民间戏剧,有时结束在“合钵”,有时结束在“祭塔”,没有人会质问哪种结局才是对的。喜欢执着对错的头脑,多半看不懂神话。

法海可悲,没有人喜欢他,觉得他多管闲事,但他也可怜,因为他不知道自己执着。

有人硬要把神话用理性归纳成合逻辑的结局,神话也就死亡了。有文字以后的历史,开始把口述神话的多元性定于一尊,只有一个版本,“怪、力、乱、神”,通通要归纳成逻辑。神话原来可以天马行空,此时飞不起来,被硬生生拉下来,摔死了。强迫故事有一定的理性逻辑,也当然枯燥呆板乏味;像“文革”期间,所有样板戏都无趣单调,没有人要看。

该隐

走过杜乐丽花园,看到高高台座上站立着一个用右手蒙面的裸体男子雕像,那肉身如此孤单无助,苍天白云,在枯树林间仿佛哭泣、仿佛战栗、仿佛无处可以躲藏，如此恐惧，如此孤独，我心里叫喊："啊！该隐——"

我走近雕像，台座上刻着几个字母：CAIN，果然是该隐，那个杀死自己兄弟亚伯的人。

为什么我们知道他是该隐？他身上没有任何标记，没有可以辨认的衣物，没有杀人的动作，然而在他的肉身里可以看到如此清晰带着该隐的恐慌怖惧。该隐是西方神话里第一个犯"谋杀罪"的人类。

中学时听神父讲《创世纪》，讲到亚当和夏娃，生了两个儿子，一个该隐，一个亚伯。该隐种地，亚伯牧羊。该隐献祭田里收成的五谷，亚伯献祭头生的羊和油脂。耶和华神喜欢亚伯的供品，该隐就生气发怒，在田间杀了兄弟亚伯。

神父慢慢念，耶和华问该隐："你兄弟亚伯在哪里？"该隐回答说："不知道。"并且说："我岂是看守我兄弟的吗？"

我那时没有看过该隐的绘画或雕像，但脑海闪过一个恐慌孤独的肉身，一个犯了罪、无处可以闪躲的肉身，就正是这尊雕像的样子。

所以肉身是带着这么鲜明的故事的标记吗？尸体销毁了，杀人的凶器隐藏了，身上的脏污洗去了，沾染血迹的衣服剥光了，然而神来质问："你的兄弟亚伯在哪里？"

基督教的肉身是要在尘世间救赎的。米开朗琪罗的《最后审判》，所有死去的肉身，要再一次复活，接受审判。封印一个一个打开，天使吹起号角，死者重新从地里起来。我总记得那巨大的画面里浮浮沉沉的肉身：

该隐雕像

上升的、下降的，圣洁的、堕落的，有人蒙着眼睛，不敢看自己将要堕入的深渊；有人用一串念珠，试图拉起一个沉重向下坠落的身体。肉身这么沉重，可以拉起来吗？

肉身，可以轻盈一点吗？

我想到经书里耶和华对该隐说的又像诅咒又像祝福的话："你必流离飘荡在地上……"

肉身流离飘荡，像《地藏经》说的"流浪生死"吗？

在世界神话的国度有多少肉身在"流离飘荡"，有多少肉身在一次一次经历"生死流浪"。

湿婆

印度的神话里，肉身是一世一世一界一界流转的，不只人的肉身如此，神的肉身也一样"流离飘荡"。

希腊的神话故事里的肉身比较容易辨认，普罗米修斯、宙斯、维纳斯、阿波罗、酒神狄俄尼索斯、牧神……几乎都有一眼可以辨认的形象。印度的神话常常令人眼花缭乱，一个神祇，会有多到数十种化身，千变万化，让人摸不着头脑。然而，印度神话的"无常"，是不是也正是破解执着单一逻辑的最好妙方呢？如果没有随佛教传入中土的印度神话，光凭儒家方方正正的逻辑头脑思考，大概很难有《西游记》这样一部上天下地、呼风唤雨、时时七十二变让人惊叹的好小说吧。

我喜欢看印度的舞蹈和戏剧，影响到东南亚广大地区，肉身柔软，妩媚曼妙，四肢骨节可以不受拘束，手指可以如花瓣婉转，他们仿佛相信肉身可以这样自由没有限制。一个文明里，肉身不自由、不柔软，不能包容变化，是因为头脑心灵的老死僵化吗？

印度教大神湿婆，可以忽男忽女、忽老忽少，人世间的分别，年龄、性别、相貌，甚至美丑、善恶，对他都无分别。神与魔，一念之间，原来也多半只是自己执着。湿婆神和大部分印度神祇一样，他们的行为事迹，如果要用善恶逻辑来分辨，大概会让人一头雾水。在人界定的善恶是非里执着，或许就难看到天意的广阔吧。印度的神话世界《摩呵婆罗多》或是《罗摩衍那》令人惊讶：数千数万众生如微尘死灭，不以为恶，没有怜悯；数千数万众生得救，不以为善，没有喜悦。善、恶是人间是非，不知天意，执着自以为是的善，也可能恰好走向为恶。

印度神话里主要的湿婆信仰，像是创造，也像是毁灭；像是善，也像是恶。他有愤怒相，青面獠牙，其他民族很难理解这也是神，然而他却真是神。“不可猜测你的神”，神话世界本来不是狭窄的人的故事，而是把人的各种相貌组装成神。

不只印度神话世界神的行为人无法猜测，基督教《旧约》的神也不可猜测怀疑。耶和华要亚伯拉罕把独生的儿子以撒带到祭坛上献祭，亲生父亲要亲手杀死独子，亚伯拉罕二话不说，捆绑以撒，放在祭台上，刀要刺进喉咙，神才说：只是试探。《旧约》里充满神话的不可思议。可思，可议，

印度教中的湿婆与妻儿

大多没有真正的大领悟。像湿婆神，领悟了，就可以在时间与空间里来去自如，佛教后来吸收了原始印度教的湿婆信仰，他就被称为“大自在天”。

我喜欢看绘本里的湿婆，像一个平凡的父亲，看着妻子雪山神女手里抱着小象模样的儿子迦内沙。湿婆神一脸慈祥，若不是他颈项上带着一长串头骨，我们认不出他是湿婆。他和蔼可亲，手持净瓶，为小象儿子灌沐。

迦内沙已经是世界知名的印度神了，东南亚各处可以看到他，象头长鼻，大肚皮，给人间带来财富幸运。据说他是从湿婆神笑声里诞生的，父亲怕他过于漂亮妩媚了，所以给他安上一个象的头。但每次看到他的长鼻子、细眼睛、大肚腹，还是忍不住发笑。爱发怒的人、怨恨多的人，多看看迦内沙，大概真的会比较幸运吧。

酒神

我喜欢希腊酒神的故事，他的希腊名字叫狄俄尼索斯（Dionysus），罗马人给他换了一个拉丁名字叫巴克科斯（Bacchus）。我们如果真关心神话，就叫他酒神吧。酒神原可以不拘束在人的国度，也应该跳脱人的历史。

酒神的爸爸是奥林匹斯山的众神之王宙斯。宙斯最伟大的工作好像就是不断恋爱、性交，繁衍后代。他变成天鹅跟勒达做爱，生下两颗蛋；他变成白色的牛追求美女欧罗巴；他甚至变成一道光，让封锁在高塔里的美女达那厄（Danae）怀孕；他也变成老鹰，掳走人间的俊美少年该尼墨得斯（Ganymedes）。宙斯和湿婆都一样千变万化，其实很像庄子寓言核心的逍遥游。可惜庄子的神话、寓言后来被逻辑头脑注解成哲学，北溟里的大鱼，失去神话魔力，也就永远飞不起来了，肉身沉重，无法扶摇直上九万里，无法幻化成一飞数月不停息的、自由自在的大鹏鸟了。

回来说酒神故事。宙斯爱上了人间美女塞墨勒（Semele），夜夜交欢，塞墨勒已经怀孕，被宙斯妻子天后赫拉（Hera）发现。赫拉，这个可怜的女神，总是跟在丈夫后面抓奸，她发现塞墨勒怀孕，心生忌恨，设计要让母子两人都死于非命。

赫拉伪装关心，告诉塞墨勒，这夜夜来的男人，神龙见首不见尾，不可靠，要塞墨勒当天晚上强迫宙斯显现全身。宙斯的全身是雷火，塞墨勒是人间平凡女子，不知是诡计，不知轻重，宙斯一现全身，她就当场暴毙。

宙斯心疼胎儿，就从塞墨勒腹中救出胎儿，切开自己大腿，把胎儿藏好，在腿肉中养到足月诞生，就是以后的酒神。

父亲是大神，母亲是人间美女，在女人子宫受孕，雷火中救出，在男人血肉中成长，这婴儿又被赫尔墨斯（Hermes）迅速带到水仙处养大，火中之水，注定了他酩酊狂醉恍惚矛盾的肉身特质。

我在奥林匹亚看过古希腊婴儿的酒神，抱在赫尔墨斯手中。我也喜欢十六世纪卡拉瓦乔画的酒神：手中一杯红酒，头上葡萄叶冠，眼波流转，是纵欲耽溺的肉身，一晌贪欢，那肉身像眼前一篮饱满熟烂的果实，散发着浓郁的甜香气味，甜熟已极，已经要败坏腐烂了，像我们自己在岁月里留不住的肉身。

珀尔修斯杀美杜莎

希腊神话中的珀尔修斯太迷人了，在佛罗伦萨的领主广场总是看着他俊美的雕像，一手持刀，一手高举刚斩下的蛇发女妖美杜莎的头。

珀尔修斯的出生就令人惊叹，他的父亲也是宙斯。阿尔戈斯（Argos）城邦的国王得阿波罗神谕，预言说他将来会被外孙杀死。为了逃过神谕诅咒，国王就把女儿达那厄囚禁在密不通风的铜塔中，不让她见人，觉得如此可以避免她怀孕，没法生外孙，就能逃过神谕诅咒。希腊神话总是告诉我们人的自大多么可笑，自以为是的国王没有料到，宙斯可以探知美女所在，他化身成一片黄金的光，穿透铜塔，就让达那厄怀了孕，生下了珀尔修斯。

珀尔修斯是希腊神话的英雄，他最重要的事迹就是斩下了女妖美杜莎的头。美杜莎一头的蛇发，千蛇万蛇窜动，她最厉害的本事是任何生命一看到她，立刻就变成石头。

所有要前去斩杀美杜莎的英雄都一一变成了石块，珀尔修斯如何完成他艰巨的使命？靠诸神帮助，珀尔修斯借来了有翅膀的飞鞋，借来了明亮如镜的盾牌。珀尔修斯靠着盾牌的反映，不直接与美杜莎视线接触，逃过变成石头的恶咒，看着镜面，斩下了美杜莎的头。

神话的故事总是被一代一代演绎，没有真正的作者。我喜欢卡尔维诺在他《新千年文学备忘录》里接着说的珀尔修斯的故事：珀尔修斯提着斩下的女妖的头，滴下的血使周遭的众生都变成了石头。珀尔修斯为免人世继续受苦，便带着那头，潜进海底，铺了些海草，把头放好，因此海底的水草都僵硬石化成珊瑚了。

神话是肉身的故事，肉身惊恐、怖惧、痛苦、惶惑、流离，世世代代，还在寻找安心之处。神话必然使人安心吧，一代一代阅读神话的生命，其实也不在意神话原典一成不变。珀尔修斯的故事不只卡尔维诺用来解释他对下一世纪的祝福：多一点温柔，多一点善良，多一点体贴，多一点平和，多一点安静。在许多动漫、卡通、通俗电玩游戏里，也不难看到各式各样甚至搞笑版本的珀尔修斯。

神话没有死亡，恰好是因为这些影响广大的通俗版本吧。让神话活在人们喜悦开心的视觉听觉与心灵分享里，用语言传送，用图像传承，而不单单限制在冰冷刻板的文字典籍中。

夜晚抬头仰望澄净清明的星空，会看到人们不断传述的神话英雄珀尔修斯，已经升成天空的星座。网络里的星空，已经全是希腊神话的领域了，让我们遗憾：织女、牛郎的故事呢？紫微、北斗的故事呢？天狼、天璇、摇光的故事呢？曾经也有过神话的民族已经失去了他们在现代星空的疆域了。

九歌

星空里要重新生长出民族神话的故事，不知道是不是还要从那一块大荒中的石头说起？说石头如何经过几世几劫，一心一意要修成人的肉身的故事。

我们的神话死亡太久了，失去了在星空里的疆域。《九歌》《山海经》，或许还保留着一点古老神话世界的肉身余温。然而，文字版本的《九歌》也距离庶民的生活太远了。清楚看到，少数知识者垄断的经典，都使文化生命枯槁，在大众不闻不问的状况下一一死亡。

明末清初，有见识的创作者试图用图像救活《九歌》。萧云从、陈洪绶，为诸神造像，让诸神复活，重新诠释东君（太阳神）、湘夫人（爱情之神）、云中君（云雨速度之神）、大司命（死亡之神）、山鬼（山林阴郁之神）。三百年过去，《九歌》诸神，还是输给了其他民族。萧云从、陈洪绶也太古老了！失去了孩子仰望星空的渴望，神话必然是活不过来的吧！

云门《九歌》用现代观点重新塑造诸神：玩滑板、直排轮鞋的云中君，如同希腊的赫尔墨斯，如同印度青涩吹笛少年克里希纳。追求青春、速度，追求解放愉悦的肉体，随着世界巡回演出的足迹，已在现代神话世界留下民族肉身的深刻记忆；“山鬼”在月光下阴郁、忧愁、自闭的心理，也连接着希腊，如同厄科女神（Echo）退避到山洞深处的幽微回音。

神话世界必然无国界的隔阂，回到人性的原点，回到每一个肉身最基本的渴望，就有了传承神话故事的可能。

仰望星空，还是想重说一次织女与牛郎的故事，他们的爱悦、眷恋、贪欢，都如此真实；他们的分离、孤独、渴望，也如此真实。他们的肉身还在星空，隔着一条浩瀚的银河，期盼一年一次的见面。小时候，母亲说到鹊桥，我总担心，那样弱小的一只一只喜鹊鸟的身体，如何搭成桥，如何承载两个渴望见面的肉体？我的担心让母亲笑起来，她说：那是神话啊！

是的，我们都有过曾经相信神话的快乐童年，我们的民族，也应该有过相信神话的快乐而且心灵丰富的童年吧。

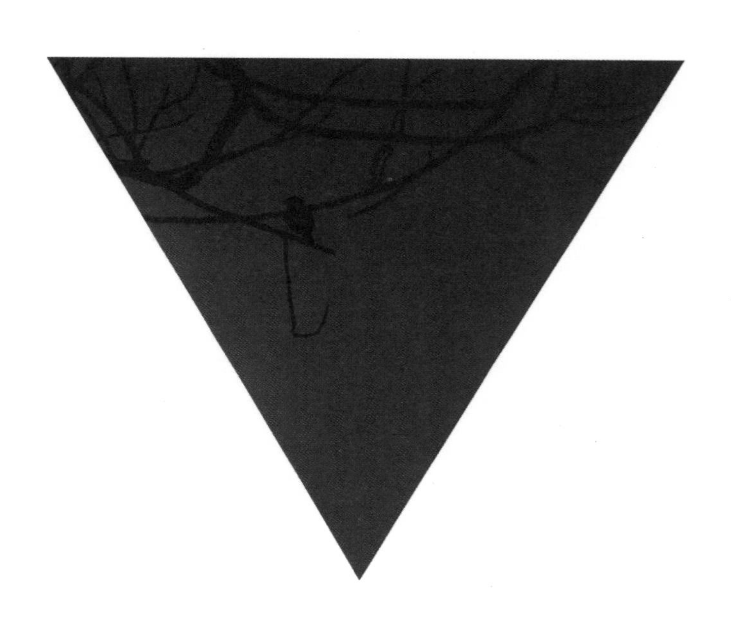

過去心不可得
現在心不可得
未來心不可得

·卷三·

无梦

一件简单的事，做起来不难，可以日复一日，成为每一天例行的公事。每天做，却不觉得厌倦、烦琐；每一天做，都有新的领悟；每一天都欢喜去做：这会不会就是修行的本质？

清迈

这几年很喜欢清迈，没有曼谷那么热闹繁华。过去统治这一地区的兰纳王朝，似乎也不是大帝国，笃信南传佛教，没有太霸道向外征伐的野心。王国旧城方整，砖砌城墙外围绕护城河，虽有几处坍塌，大致都还完整。城里许多古寺庙，许多枝叶茂密、覆盖广阔的大树。一条不十分宽阔的宾河，波澜不惊，也不汹涌，却总在身边，自北而南，悠悠流淌穿过城市。整个城市还保有中世纪农业手工时代的缓慢、专心、安分，有一种让人慢下来的静定悠闲。

初去清迈，也会对城市中心的夜市有兴趣，看附近少数民族贩卖各种手工艺品，银饰的精致，木雕的浑厚粗朴。

棉麻手工纺织，质料染色都有很好的触感，剪裁成传统衣裤，形式大方，穿着起来也非常舒适便利。瓦制陶钵、陶碗，有手拉胚的粗朴纹理，拿在手里厚实沉甸。

手工传统在数百年间累积的经验，像一种生态，其实常常是文化潜藏在土里的深根。土够厚，根够深，也才有文化的美学可言。近来台湾常爱说文创产业，所谓创意，又常常是刨去厚土，斩伐了大树的深根，替换一时短暂炫目浅根的花花草草，使文化愈来愈不长久。新失去了旧的滋养，根基不厚，或无根基，根土浅薄，创新常常只是作怪，当然也就无美学可言。

清迈从二十世纪八十年代开始，受到世界观光的重视。当世界许多城市迅速冲向工业化恶质发展之时，这一古城，却保留拥有着农业时代人与土地和谐相处的生态伦理，保留着多元民族丰厚的部落传统手工技术产业，让世界各地在城市恶质化的工业梦魇中焦虑不堪的游客、在生活里迷乱了方向的游客，来到清迈，可以坐下来，在一座寺庙庭院，或一棵大树下，找到使自己清醒的净土。

多去了几次清迈，时间住得久一点，在几年间，发现清迈也在迅速变化。夜市的手工艺品，因为适应太多各国涌进的观光客，愈来愈大量生产，不控制质量，开始粗制滥造，或迎合消费者，创新作怪，失去了原有传统手工的素朴认真，失去了手工的本质精神，逐渐走向所有手工传统共同的没落命运。

这几年去清迈，常住一个月左右，不是为了观光，而是远离城市中心，住在城市郊外，读书或诵经。

清迈西侧有素贴山，一带丘陵自北而南，蜿蜒起伏，最高处有海拔一千米，山巅上有著名的素贴寺，香火很盛，金碧辉煌，游客也多。寺庙平台可以俯瞰清迈全城，从清迈城市各个角落，一抬头，也都很容易看到高踞山巅闪着金光的素贴寺。

我住的地方在素贴山脚，邻近清迈大学，附近是大片森林，也是清迈城水源的保护区，有清澈湖水，汇集山上岩石峡谷间冲下的雨水。冬天干季，凉爽舒适，即使夏天雨季，除了正午阳光强烈燠热，一阵暴雨过后，空气中弥漫着各种植物释放出的香味，一入傍晚，整座山就从大树间吹拂来舒爽的凉风。寺院钟声过后，各种虫鸣升起，间杂着一两声悠长的夜枭叫声。万籁如此寂静，使人可以安然入眠入梦。

蝉声

有一个夏天去清迈，住在无梦寺（Wat Umong）旁。Umong 泰文的意思是甬道、隧道。寺庙建于十三世纪末，数百年间曾经是南亚南传佛教的中心，十五世纪前后强大过的兰纳王朝时代，曾经在此处召开过国际的佛学会议。

无梦寺坐落在素贴山麓大片的森林中，从附近经过，常常看不到寺庙建筑，连最高的大佛塔也掩蔽在大树间。

佛寺最大的特色即是甬道。“甬道”是民间俗称，其实用汉字的“洞窟”，就容易理解了。无梦寺因为依山麓建造，大佛塔露出地面，佛塔下即是一层一层的甬道。从外面看，现在仍留有三个幽暗的入口，约一人高，进到甬道内部，看到甬道四通八达，做成一个一个佛龛。古代没有今日照明设备，龛、窟上端或两侧都有利用自然采光的孔洞，很像我在敦煌、云冈石窟看到的明窗设计。

无梦寺不在市中心，偏城市西陲，游客不多。甬道里幽暗，信众擦肩而过，各自走到一个龛窟前，在佛像前合十膜拜。或静默趺坐，或长跪诵经，在佛前供养一朵寺庙庭院开得烂漫掉落一地的番孜花。甬道通风，花的香味甘甜就在幽暗中流动。在微微幽光里，错错落落远远近近的静坐者、膜拜者，远远看去，都像一尊塑像，使我想到《金刚经》里说的“微尘众”，使我想到《金刚经》里说的“恒河沙”。

夏季午后常有暴雨，雨声浩大，也在甬道间汹涌回响。暴雨多不持久，雨声歇止，四周树林间升起一片惊人的蝉声。仿佛久远劫来，微尘与世界都如此发声，高亢激昂，如一季繁花烂漫，却又沉寂如死。“是身如焰，从渴爱生”，“是身如幻，从颠倒起”，蝉声使我想到《维摩诘经》的句子，仿佛又听到沉寂如死的蝉声里从树梢高处一一掉落下来的蝉的尸体。

同去的朋友被蝉声所动，从地上拾起蝉尸，低头冥想。后来他找了专业的录音师，到无梦寺去录下蝉声。然而，听起来，声音早已不在了，“是身如响，属诸因缘”，我知道那录音中已经不是我们曾经听到的蝉声了，如同放在案上的蝉的尸体，也不再是那一夏季活泼昂扬长嘶鸣叫的生命了——“是身如梦，为虚妄见”。

《金刚经》的开头

好几个冬季，在清迈度过，也固定住在无梦寺附近的公寓。每天清晨步行十分钟左右，固定去寺庙诵经，有时也跟随僧众乞食的队伍，一路走进商家林立的街道。

僧侣披绛黄色袈裟，偏袒右肩，赤足，手中持钵，从年长的僧侣，长幼依次排列。队伍尾端是十岁左右的少年僧侣，还是儿童，常常睡眼惺忪，走得跌跌绊绊，引人发笑。然而修行的路上，或许就是如此吧：有人走得稳定精进，有人走得犹疑彷徨，有人走得快，有人走得慢，然而，或迟或早，都在修行路上。一旁的讥讽嘲笑其实都无意义，反而耽误了修行。

天光微明，修行的队伍，如一条安静的绛黄色河流，静静流入城市，一家一家乞食。商家知道僧人每天清晨乞食时间，都已拉开铁卷门，准备好食物，准备布施。

僧人端正站立，双手持钵，布施的人把食物一一放进钵中，然后右膝着地，恭敬跪在僧人面前，听僧人念诵一段经文。

这是清迈美丽的清晨，是僧人与商家共同的功课。这也是许多人熟悉的《金刚经》开头的画面啊！没有想到，原始佛陀久远以前行食的画面，还日复一日可以在清迈的清晨看到。

我在此时，心中默想经文的句子：

如是我闻。一时，佛在舍卫国祇树给孤独园，与大比丘众千二百五十人俱。

清迈像是舍卫城，祇陀王子大树庇荫的花园，给孤独长老供养的道场，佛陀因此机缘，为一千两百五十位学生上课，说了一部《金刚经》。

所有义理的开示演说之前，记录者描述的只是一个如此安静美丽的画面：

尔时，世尊食时，着衣持钵，入舍卫大城乞食。

于其城中，次第乞已。

还至本处，饭食讫，收衣钵。

洗足已，敷座而坐。

当时佛陀也是如此，穿着袈裟，手中拿着一个碗，进入舍卫城，一家一家乞食。从一家一家得到布施，再回到原来的处所。

吃饭，吃完饭，收好衣服，收好碗，洗脚，在树林下铺好座位。

这是《金刚经》的开头，没有说任何道理，没有任何教训、开示，只是简单朴素、实实在在、按部就班的生活。穿衣，乞食，吃饭，洗碗，洗脚，敷座……像每一个人每一天做好自己的家务琐事。

无梦寺

一件简单的事，做起来不难，可以日复一日，成为每一天例行的公事。每天做，却不觉得厌倦、烦琐；每一天做，都有新的领悟；每一天都欢喜去做：这会不会就是修行的本质？

像将近三千年前舍卫大城的乞食队伍，像今日清迈僧众依然维持的行乞，像商家依然信仰的清晨的布施，右膝着地，聆听经文的虔诚，都是不难的事，但是每一天做，每一天欢喜地做，或许就是修行的难度吧。

现代文明是不是恰好缺少了这样简单而又可以一再重复的信仰？传统手工作坊分出经纬，认真织好一匹布帛，传统农民耕作，播种、插秧、收割，日复一日，年复一年，守着小小一个本分，不断求精进，没有妄想，因此可以专注。清迈小食摊上老年的妇人认真把青木瓜切成细丝，认真在一个石钵里把花生仁捣碎成细粉，都不是难度高的事，但是如此专心，没有旁骛，可能重复了三十年，因此那动作里就有使人赞叹的安静专一。

在清迈的时间，每天清晨到无梦寺散步，也变成例行的功课。

无梦寺在一大片广阔森林中，有僧侣喂食牛、鹿、兔子、狗、猫、鸡各种动物，定时把白菜叶切碎，撒在树林间。

狗多是被弃养的流浪狗，颈部有统一的红色颈圈，似乎是庙宇收留后检疫或识别的标志。因为大多衰老，或是残肢癞皮，树荫下的狗多静卧落叶中睡眠，很少动作，陌生人走近也不被惊扰吠叫。鸡是寺庙里最活泼的动物：公鸡头冠鲜红峥嵘，走路时雄赳赳气昂昂，全身羽毛发亮，像金银一般闪烁耀眼；母鸡多带着一窝小鸡，在枯树叶或草丛间刨土，引导小鸡雏觅食虫蚁。我一走近，母鸡就有防卫，立刻张开双翅，让所有小鸡躲入翅膀下，不露一点踪迹。

寺庙通常让人联想到清净庄严，无梦寺的丛林却是鸡飞在树巅，狗老迈疲惫，高高的榄仁树，叶子红了，从树上坠落，铺得地上厚厚一层。

我在寺庙绕塔诵经，僧人持竹扫帚清扫廊下落叶，或在树下洗碗，也只是实实在在的生活。

无梦寺还是佛学传习的处所，有不少世界各地来的出家众和一般信众在此学习。

寺庙在十五世纪全盛时代也曾有佛像绘画和雕塑的传习，甬道内部还留有壁画残迹，但大都漫漶模糊不可辨认细节了。有一些二十世纪初拍摄的图片，壁画形式还可略见一二——赭红底色，用细线勾描番莲花缠枝图样，与元明盛行的瓷器或织绣上的图案类似。

寺庙中保有大量古代废墟中的佛像雕塑，各种不同姿态趺坐盘坐的佛菩萨像，多断头断手，残缺破损。如果是在欧美，废墟里的古希腊罗马雕像，多慎重修复，收藏在博物馆，成为珍贵的文物，成为艺术珍品。像罗浮宫的维纳斯，原来也是米洛斯岛发现的残片，修复之后，还是缺了双手，置放在罗浮宫中，成为镇馆之宝，举世闻名，被奉为美的标志。

无梦寺树林间布满同样缺手缺头的佛像，有些佛头高达一米多，然而身躯部分完全不见了。当地僧侣把没有身体的佛头、没有手的佛像，或没有躯干的手、足，都收集在树林间，它们各自有一方位置。树林间的阳光，从清晨至日落，透过树隙，不同时间，照亮不同的角落。

有一尊佛头，仿佛低头沉思，垂眉敛目，微笑宛然，却又如此忧愁悲悯。四方信众，常有人偶然来此徘徊，捡拾落花，供养在微笑佛像的四周。

我每一日清晨，来此静坐，等候阳光照亮微笑。身躯失去了，手、足都不知流落何方，肉身残毁如此，然而微笑仍然安静笃定。这样的雕刻若是在欧洲，大概会被谨慎修复，珍惜收藏，视为艺术珍品吧。

然而，我日日与此微笑相处，看信众把花放在微笑前供养，看信众离去时脸上都有一样的微笑。阳光树影娑婆，在一世一世的劫难毁坏中，有成，有住，当然也有坏、空。“若以色见我，以音声求我，是人行邪道，不能见如来……”《金刚经》的偈语清楚明白，成、住、坏、空，都在时间之中。放到博物馆的艺术，是妄想物质停止变化，是妄想把生命制作成标本吧。然而在东方，在佛教信仰里，美，不禁锢在博物馆；美，像生命一样，要在时间中经历成住坏空。

或许，无梦寺残毁的微笑，被阳光照亮，被雨水淋湿，青苔滋漫，虫蚁寄生，落叶覆盖，随时间腐蚀风化，他也在参悟一种“无我相”“无人相”“无众生相”“无寿者相”的漫长修行吧。

如果有一天此身不在了，希望还能留着这样的微笑。

微笑——吴哥之美

美的意义何在？文明的意义何在？人存活的意义何在？……看到废墟角落默默流泪的受伤的游客，能够安静我的仍然是《金刚经》的句子。

一九九九年开始，陆续去了吴哥窟十四次了。

或许，不只是十四次吧，不只是此生此世肉身的缘分。许多缭乱模糊不可解不可思议的缘分牵连，仿佛可以追溯到更久远广大的记忆。

大学读史学，程光裕先生开东南亚史。程先生不擅教书，一节课坐着念书，不看学生。从头到尾，照本宣科，把自己写的一本东南亚史念完。

课很无趣，但是书里的那些地名人名感觉很陌生又很熟悉：扶南、占婆、暹罗、真腊、阇耶跋摩、甘孛智……

甘孛智是明代翻译的 Camboja，万历年以后就译为今日通用的柬埔寨了。

帝国意识愈强，对异族异文化愈容易流露出轻蔑贬损。日久用惯了，可能也感觉不到“寨”这个汉字有部落、草寇的歧视含义。

唐代还没有柬埔寨这个名称，是从种族的Khmer翻译成“吉蔑”，“蔑”这个汉译也不是尊敬的汉字。现在通用的“高棉”同样是从Khmer翻译而来，就比较无褒贬了。

我读东南亚史，常常想到青年时喜欢去的台湾少数民族部落：台东南王一带的卑南，兰屿的达悟族，屏东山区的布农或排湾。他们是部落，没有发展成帝国，或者连国的概念也没有。一个简单的族群，传统的生产方式，单纯的人际伦理，没有向外扩张的野心，没有太严重残酷的战争。人与自然和谐相处，在美丽的自然里，看山看海，很容易满足。生活的温饱不难，不用花太多时间为生活烦恼，可以多出很多时间唱歌跳舞。一年里许多敬神敬天的祭典，祭典中人人都唱歌跳舞，部落里眼睛亮亮的孩子都能唱好听的歌，围成圆圈在部落广场跳舞。妇人用简单的工具纺织，抽出苎麻纤维，用植物汁液的红、黄、绿，漂染成鲜艳的色彩，编结出图纹美丽的织品，男子在木板石板上雕刻，都比受专业美术训练的艺术家的作品更让人感动。

“专业”是什么？“专业”使人迷失了吗？迷失在自我张扬的虚夸里，迷失在矫情的论述中，“专业”变成了种种借口，使艺术家回不到人的原点。

卑南一个小小部落走出来多少优秀的歌手，他们大多没有受所谓“专业”的训练。除了那些知名的优秀歌手，如果到了南王，才发现，一个村口的老妇人，一个树下玩耍的孩子，一个乡公所的办事员，开口都有如此美丽的歌声。

生活美好丰富，不会缺乏歌声吧？

生活焦虑贫乏，歌声就逐渐消失。发声的器官用来咒骂，声嘶力竭，喉咙更趋于粗糙僵硬，不能唱歌了。

我读东南亚史的时候，没有想到台湾——作为西太平洋中的一个岛屿——与东南亚有任何关系。

在夸张大中国的威权时代长大，很难反省一个单纯部落在帝国边缘受到的歧视与伤害吧。

那时候，班上把来自部落的同学叫“山地人”或“番仔”。

“南蛮”“北狄”“东夷”“西戎”，一向自居天下之中的华族，很难认真尊重认识自己周边认真生活的“番人”吧。“番”有如此美丽的歌声、舞蹈、绘画和雕刻，“番”是创造了多么优秀文化的族群啊。

周达观《真腊风土记》

那一学期东南亚史的课，使我知道了元朝周达观在十三世纪一部记录柬埔寨的重要著作——《真腊风土记》。

真腊就是吴哥王朝所在地 Siam Reap 的译名。现在去吴哥窟旅行，到达的城市就是暹粒。时代不同，音译也不同，“真腊”遗留着 Siam Reap 的古音。

元代成宗铁穆耳可汗，在元贞元年（一二九五年）派遣了周达观带领使节团出访今天的柬埔寨。周达观在成宗大德元年（一二九七年）回到中国。路途上耗去大约一年，加起来前后一共三年。他对当时的真腊做了现场最真实的观察记录，从生活到饮食、建筑、风俗、服饰、婚嫁、宗教、政治、生产、气候、舟车……无一不细细描述，像一部最真实的纪录片。八千五百字，分成四十则，为十三世纪的柬埔寨历史留下全面详尽的百科全书。

我读这本书时还不知道，周达观七百年前去过、看过的地方，此后我也将要一去再去、一看再看。

真腊王朝强盛数百年，周达观写了《真腊风土记》之后一百多年，到了一四三一年，王朝被新崛起的暹罗族灭亡。真腊南迁到金边建都，故都吴哥因此荒废，在历史中湮灭，宏伟建筑被丛林覆盖，高墙倾颓，瓦砾遍地，荒烟蔓草，逐渐被世人遗忘。

数百年后，没有人知道曾经有过真腊辉煌的吴哥王朝。但是，历史上留着一本书——《真腊风土记》。这本书收在四库全书中，被认为是详实的地方志，但是只关心考试做官的民族对广阔的世界已经没有实证的好奇了。

这本被汉文化遗忘的书，却被正在崛起的、在世界各个角落航海、发现新世界的欧洲人看到了。法国的雷慕沙在一八一九年翻译了法文本《真腊风土记》，法国人大为吃惊：他们相信，周达观如此详实记录的地方，不可能是虚构；他们相信，世界上一定有一个地方叫真腊。一八六〇年（一说一八六一年）法国生物学家穆奥就依凭这本书在丛林间发现沉埋了四百多年的吴哥王朝。

一九〇二年去过敦煌的汉学家伯希和重新以现场实地考证校注法文版《真腊风土记》。一九三六年，在第二次世界大战前，日文版《真腊风土记》出版，日本已经开始觊觎东南亚，准备帝国的军事扩张。

一九六七年英文版《真腊风土记》问世。一九七一年柬埔寨刚刚脱离法国殖民地的身份不久，没有自己国家的历史文献，李添丁先生就将周达观的详实历史从中文又翻译成柬埔寨文。

国可亡，史不可亡，四库全书认为元史没有真腊传，周达观的《风土记》可以补元史之缺。现在看来，十三世纪吴哥的历史文明，柬埔寨自己也没有留下文献，只有周达观做了最详实的现场记录。

高棉内战结束，世界各地游客涌入吴哥窟，二〇〇一年就有了新的英译本，二〇〇六年又有了新的德译本。全世界游客到吴哥，人人手中都有一本周达观的书。一位十三世纪的探险家，一位伟大的旅行者，一位报道文学的开创者，他的书被自己的民族忽视，却受到全世界的重视。

吴哥王朝

法国殖民柬埔寨九十年，陆续搬走了吴哥窟精美的文物。一九七二年我去了巴黎，在吉美东方美术馆看到动人的吴哥石雕。有巨大完整的石桥护栏神像雕刻，有班迭斯雷玫瑰石精细的门楣装饰，最难得的是几件阇耶跋摩七世和皇后极安静的闭目沉思石雕。

阇耶跋摩七世头像

吉美在离埃菲尔铁塔不远处，附近有电影图书馆，有现代美术馆，是我最常去的地方。每走到附近，那一尊闭目冥想的面容就仿佛在呼唤我。我一次一次绕进去，坐在他对面，试着闭目静坐，试着像他一样安详静定，没有非分之想。

“须陀洹名为入流，而无所入，不入色、声、香、味、触、法，是名须陀洹……”这样垂眉敛目，是他可以超离眼耳鼻舌身意的感官激动了吗？我静坐着，好像他在教我学习念诵《金刚经》。

有一次静坐，不知道时间多久，张开眼睛，一个法国妇人坐在旁边地上，看我，点头微笑，好像从一个梦里醒来，她说：“我先生以前在柬埔寨……”

她在这尊像前跟我说：“法国怎么能殖民有这样文明的地方……”

二十世纪七十年代，法国在东南亚的殖民地陆续独立。柬埔寨、越南，殖民的统治者一走，那些初独立的国家就都陷入残酷内战。美国支持朗诺将军，西哈努克亲王逃亡北京求庇护，接着波尔布特政权开始残酷屠杀，数百万人被以各种方式虐杀。如今金边还留着博物馆，留着人对待人最残酷的行为，比动物更粗暴，不忍卒睹。

许多欧洲的知识分子、工程师遭屠杀。他们正在对抗法国殖民者，帮助当地人民认识自己的文化。他们组织青年，带领他们修复古迹，把一块一块石砖拆卸下来，重新编号，准备复建吴哥盛时的国庙巴扬寺（Bayon）。

“我的先生学中世纪艺术，六十年代被派去吴哥窟协助修复巴扬寺……”

我不忍问下去了。在巴黎有太多同学来自越南、老挝、柬埔寨独立前后的战乱地区，他们谈到母亲因为歌唱被拔舌而死，或者画家父亲受酷刑被一一截断关节的故事，重复多次，甚至没有激动，仿佛叙述他人的生老病死。

“不入色声香味触法……”我心中还是剧痛。

法国妇人眼中有泪，我不敢看。我看着改信大乘佛教的阇耶跋摩七世头像，仍然闭目冥想，眉宇间忧愁悲悯，嘴角微笑，他当然读过《金刚经》——“灭度一切众生已，而无有一众生实灭度者……”每日念诵，而我仍然不彻底懂得的句子，在这尊像的静定中，我似懂非懂——不可以有灭度之心吗？在最残酷的屠杀前也没有惊叫痛苦吗？

这尊石雕陪伴我四年，忧伤迷失的时刻，我都到他面前。我不知道：我与他的缘分，或许已有前世因果，或许也还只是开始而已。

教跳舞的人

读了周达观的《真腊风土记》，在巴黎看了很多吴哥的雕刻，我以为缘分也仅止于此。因为长期内战，种种屠杀骇人听闻，也从来没有想过有机会实际到吴哥去走一趟。

我们对缘分的认识也还是浅薄。那尊雕像闭目冥想沉思，是不是因为不看肉眼所见，不执着肉眼所见，反而有天眼、慧眼的开阔，也才有法眼、佛眼的静定宽容？

一九九九年三月，柬埔寨内战稍稍平静，国际非政府的救援组织开始关注这一饱受炮火蹂躏摧残的地区。有一天，林怀民接到一封信，荷兰外交部所属的“跨文化社会心理组织”一名负责人在欧洲看过云门的《流浪者之歌》。他相信一个述说佛陀故事的东方编舞者，或许可以在战后的柬埔寨参与儿童心理复健的工作。

这个机构和联合国世界卫生组织合作，帮助柬埔寨的战后儿童心理治疗复健。内战结束，许多战争孤儿在战乱中饱受惊吓，他们像不断被施暴虐待的动物，缩在墙脚，恐惧别人靠近，恐惧触摸，恐惧依靠，恐惧拥抱。

怀民接受了这个邀请，在金边一个叫雀普曼的中下层居民混居的小区住了三星期，带青年义工整理传统舞蹈。传统舞蹈从小要练习肢体柔软，印度教系统的肢体，数千年来仿佛在阐述水的涟漪荡漾，仿佛一直用纤细柔软的手指诉说着一朵朵花，慢慢从含苞到绽放。吴哥窟的墙壁上，每一个女神都在翩翩起舞。上身赤裸，腰肢纤细，她们的手指就像一片一片花瓣展放。整个印度到东南亚，舞者都能让手指向外弯曲，仿佛没有骨节，曼妙妩媚。女神常常捏着食指、大拇指，做成花的蓓蕾形状，放在下腹肚脐处，表示生命的起源。其他三根手指一一展开，向外弯曲，就是花瓣向外翻卷，花开放到极盛。然而，手指也一一向下弯垂，是花的凋谢枯萎。东方肢体里的手指婀娜之美，也是生命告白；生老病死，成住坏空，每一根手指的柔软，都诉说着生命的领悟，传递着生命的信仰。

一些青年义工学习压腿，撇手指，手肘外弯，让肢体关节柔软。柔软是智慧，能柔软就有包容，能柔软就有慈悲。这些青年学习结束，分散到内战后各处村落，带领孩子跳舞，带领饱受惊吓的战后儿童放松自己的身体，可以相信柔软的力量，可以从恐惧里升起如莲花初放一样的微笑，可以手舞足蹈。

我坐在地上看他们舞蹈，看他们微笑，那是阇耶跋摩七世曾经有过的静定的笑容，在吴哥城门的每一个角落，在巴扬寺每一座高高的尖塔上，在每一个清晨，被一道一道初起的曙光照亮。一百多副微笑的面容，一一亮起来，使每一个清晨都如此美丽安静。

那些微笑是看过屠杀的——十五世纪的大屠杀，二十世纪的大屠杀，他都看过。他还是微笑着，使人觉得那微笑里都是泪水。

怀民跟孩子一起上课，不是教跳舞，是在一个木柱架高的简陋木头房子里教儿童静坐，教他们呼吸。把气息放慢，紧张恐惧的孩子，慢慢安静下来了，感觉到自己的身体，感觉到清晨的阳光在皮肤上的温度，感觉到树上的鸟的鸣叫，感觉到旁边同伴徐徐的呼吸，感觉到空气里花的香味，感觉到渐渐热起来的手指、关节、肺腑，渐渐热起来的眼眶。

我也学他们静坐，看到他们脸上被阳光照亮的微笑，是一尊一尊阇耶跋摩七世的微笑。那个在一生中不断设立学校、医院的国王，留下来的不是帝国，而是他如此美丽的微笑。

金边的计划结束，去了吴哥，那是第一次到吴哥窟。许多地雷还没有清除完毕，游客被限制走在红线牵引的安全范围。每到一处寺庙神殿废墟，蜂拥而来上百名难民，他们都是乡下农民，误触地雷，断手缺足，脸上大片烧灼伤疤，没有眼瞳的空洞眼眶看着游客，张口乞讨……

向往伟大艺术的游客在文明的废墟里被现实如地狱的惨状惊吓——

美的意义何在？文明的意义何在？人存活的意义何在？

“斯陀含名一往来，而实无往来，是名斯陀含。”

看到废墟角落默默流泪的受伤的游客，能够安静我的仍然是《金刚经》的句子。

我一次一次去到废墟现场，独自一人，或带着朋友，学习可以对前来乞讨的残障者合十敬拜，学习跟一个受伤或被触怒的游客微笑，学习带领朋友清晨守候在巴扬寺，每个人一个角落，不言不语，静待树林高处初日阳光一线一线照亮高塔上一面一面微笑。我看到每一个朋友脸上的微笑，我便知道自己也一定有了这样的微笑。

斯陀含名一往来而
實無往来是名斯陀含

赫尔曼·黑塞

赫尔曼·黑塞（Hermann Hesse）在第一次世界大战结束前写作了《彷徨少年时》（Demian）这部小说，用青年心灵对话的形式反省人类的困境，试图为废墟里的文明找寻出路。这部小说到战争结束一九一九年才出版，也在欧洲适当地成为许多战争幸存青年的精神依靠吧。

一九二二年黑塞以同样心灵对话形式，借助东方佛陀修行的故事原型，创作了《悉达多》（Siddhartha）。

两次世界大战，欧洲知识分子在屠杀毁灭中思考生命存活的意义，思考文明的价值，这些省思在黑塞去世的一九六二年前后才逐渐在以美国为主的英语世界被广泛阅读。二十世纪六十年代以后，美国青年的嬉皮运动，从体制出走，反现代文明，流浪于印度、尼泊尔，学习冥想苦修、放弃物质，或衣衫褴褛，或沉迷于大麻迷幻药物。许多乐手歌者学习古印度西塔尔琴，受黑塞的文学书写启发，创作摇滚音乐，实践广义的东方心灵禅修。黑塞或许没有想到，在自己去世之后，他的文学才开始影响一整个世代的青年的精神。

一九七〇年前后，黑塞的小说，主要通过英语，陆续翻译成华文——《彷徨少年时》《乡愁》《荒野狼》，都成为那一年代台湾青年爱读的文学作品。赫尔曼·黑塞文学里特有的内省、冥想、倾向少年心灵独白的叙事方式，仿佛孤独的流浪者自己与自己的对话，在台湾体制威权的年代，也使许多善感而有梦想的青年从严密的思想禁锢出走，从喧嚣的教条出走，走向自我心灵孤独的修行道路。

文学不是一味自我炫耀、自我表现，文学，不是聒噪的嚣张。文学，或许有一种力量，使青年可以向内对自己做更深的生命质问——我活着为了什么？我可以不再只是现在的我吗？我可以告别亲爱的人，告别俗世，独自一个人出走吗？

赫尔曼·黑塞的文学使一整个世代的台湾青年记得一种独白的安静文体。文学首先是倾听自己内在安静的声音，学习独自一个人与自己对话的力量。

许多青年喜欢在背包里带着赫尔曼·黑塞的书，一个人出走，独自走向流浪途中。

流浪者之歌

一九七二年后，赫尔曼·黑塞最具代表性的作品《悉达多》也翻译成了中文，在台湾出版，很快成为当时许多文艺青年传阅讨论的一本书，其中有一种华文译本（苏念秋），用的书名，就是《流浪者之歌》。

也有人直接音译这本小说为《悉达求道记》（徐进夫）。

悉达多是佛陀成佛以前俗世的名字——悉达多·乔达摩（Siddhartha Gautama），还在俗世，还没有悟道，没有成佛。悉达多，当时是迦毗罗卫国（Kapilvastu）太子，因此也有人称为悉达多太子。

东方传统美术里常有悉达多一足盘膝静坐、在树下沉思的造像，称为“思维菩萨”，彼时尚未悟道成佛，于人间世还有诸多眷恋不舍，于有情世界还有迷惑、思索、犹疑、彷徨。这尊像，静坐树下冥想，青春的悉达多，如此年少，喜悦又略带忧愁。不同于悟道后圆满无遗憾的佛陀宝相，这初入冥想的少年悉达多，对于大多悟道还不彻底的众生，似乎特别觉得有与自己相近的亲切吧。

赫尔曼·黑塞采用了悉达多思索人生、流浪于红尘世途的少年原型，写作了小说。

《悉达求道记》的书名容易让读者以为是一部佛传，当然作为小说创作，黑塞可以重新赋予悉达多不同于佛传故事的意义。译为《流浪者之歌》似乎更想切近赫尔曼·黑塞书中悉达多少年心灵寻索彷徨于途中的本意吧。

佛传的真实故事细节，在长久信仰佛教的国度，因为崇敬礼拜，反而不为人知了。

佛陀常常被神化为天生的悟道者，失去了，或忽略了悉达多在俗世艰难修行的过程。

赫尔曼·黑塞家族有印度的文化熏陶：黑塞的外祖父在印度传教，深通印度语言；黑塞的母亲在印度出生，在印度与黑塞父亲结婚。虽然是欧洲知识分子，家族的印度基因，却似乎在他身上呼唤着不可知的东方的前世血缘。他的家中有许多父祖辈从印度带回欧洲的佛像，面对这些造像，身在欧洲，战争尘嚣喧腾，在德语写作的文化氛围，黑塞与佛陀，似乎保持着若即若离的关系——他可以以佛观佛，他也可以以人观佛。

佛，像是人的解构。佛，像是人的否定。佛，像是从人修行升华到了放弃作为人的执着。

佛是没有故事了，佛的故事都在他作为人的流浪中。

赫尔曼·黑塞把佛还原成为人，重新述说悉达多作为一名流浪者的故事。

悉达多与乔达摩

显然黑塞并不在意原来佛陀传记的考证：在小说里，佛陀的名字与姓氏——悉达多、乔达摩，被分开成为书中两个不同的角色。他们像好友知己，也像相互竞争，他们彼此对话，像我们每个人内在都可能有的两个自己的声音。

没有受限于东方信众对佛陀习惯性的敬畏，因此才能够将悉达多从长年佛已经固定的宝相庄严中解脱出来吧。黑塞带领读者从少年的悉达多看起，不是一味投身拜伏于伟大的佛陀脚下，不是祈求外在神的救赎，而是让少年生命在漫漫长途的流浪之中学习倾听自己内在心灵的声音，与最深最真实的自己对话。

黑塞一一述说少年生命于尘世间经历的种种因缘。有一天，他或许能有机缘坐在佛陀身边，听佛说法，这个少年，可能欢喜赞叹，也可能起身离去。贪恋财物是贪，然而贪恋救赎，贪恋觉悟，会不会也是贪念？《金刚经》里，佛陀曾经问须菩提："我于燃灯佛处，有法得阿耨多罗三藐三菩提否？"须菩提回答说："实无有法得阿耨多罗三藐三菩提。"

讲得很彻底，连生命的觉悟也不可贪，贪便有了执着。

赫尔曼·黑塞或许对佛法有自己的体悟，他的悉达多恰好是在与乔达摩见面时转身离去了——我一直记得青年时读到这一段时的震动。修行途中，自己与自己相遇了，一个完成修行的自己，一个仍然苦苦思索真理而不可得的自己。

赫尔曼·黑塞把原来属于同一个人的"悉达多·乔达摩"分成了两个人物。悉达多是在流浪途中的修行少年，经由苦修，重入世间，他在修行途中听到世尊乔达摩的名字，听闻他是已经悟道的佛陀。众人都争先恐后要亲近乔达摩，想借由佛陀的功德圆满增加自己的福慧。然而悉达多站在乔达摩面前，问了几句话，感觉到乔达摩悟道后的安详圆满，只不过，悉达多还是决定独自离去，不追随乔达摩成为弟子或信众。赫尔曼·黑塞创造了自己与自己的对话，也创造了自己与自己的告别。

黑塞想要说的，会不会是：没有，也不会有神的救赎。修行必然是学会倾听自己内在最真实的声音吧！

悉达多决定走自己修行的道路——或许他坚持修行并不是一个结果。他亲眼看到了佛陀修行的圆满结果，但那结果不是他自己的，他仍然要一步一步完成自己修行的过程。

尘世的修行当然不是一尘不染，读者因此看到满面尘垢的悉达多，苦修不成的悉达多，放纵于赌场、情欲的悉达多，与乔达摩争辩生命真理的悉达多，于苦恼中期盼佛的开示救度的悉达多，背离佛的悟道毅然出走的悉达多。他背弃了佛陀，来到人间，与妓女厮守缠绵，他甚至从妓女种种性的欲乐里学习肉身一定要通过的功课。他说：妓女是他重要的老师。他又沉湎于赌场，通过输与赢，懂了焦虑贪婪。他成为大商人手下的管理者，学习聚敛财货。

悉达多在人世艰难修行，容貌改变，甚至认不出最初的自己。他来到河边，他俯身向河，好像要在水中见证自己的容貌，好像要清洗满面尘垢，或者，是要投身自溺水中，终结一切苦恼。

此时黑塞笔下的悉达多，听见少年时学习的“唵”的梵音，从整条大河响起，从自己的心灵深处升起，源源不绝。河上舟子摇船而来，是曾经渡他过河的船，再度来迎他上船。最后悉达多留在河上，他向摆渡的人学习渡人过河——伏身向一条大河的悉达多，学习长年河上摇船渡人的舟子，学习河流的宽阔包容，学习聆听一条大河在岁月里静定却永不止息的浩大声音。

一条大河，像一部佛经。

云门与鲁斯塔维歌咏

二十世纪的六七十年代是欧美青年心灵自省的年代，是许多反体制的青年从自我出走流浪的年代。赫尔曼·黑塞的《悉达多》成为一时经典，类似《流浪者之歌》的心灵旅程，被许多影响大众的流行歌手或乐团（像Yes，一支英国乐队）写进青年摇滚的歌声。

云门的《流浪者之歌》也是当时世界青年心灵省思运动的一环吧。二十世纪九十年代林怀民编作这出舞剧，回应着赫尔曼·黑塞的《悉达多》，也回应着更早东方一位从皇宫奢华靡丽出走的流浪者的步伐足迹吧。

舞蹈中有肉身的鞭挞苦修，有欲望不克自制的痛苦，有生命爆裂的放纵，有酣畅淋漓的狂欢宣泄，有战栗、悸动、焦虑的挣扎，有茫然槁木死灰般的自我放弃，有肉欲的纠缠享乐。然而舞蹈中也有极内省的声音，有静定的佛的身体，在九十分钟的舞台上一动不动，使不动成为舞蹈肢体动作高难度的极限。

“动”如果是身体向外在空间的征服，“不动”会不会是向身体心灵内在最深的自省，是难度更高的征服吧？！

站在舞台边缘的佛是在静定里回忆自己的一生吗？站在舞台边缘的佛，是在回忆几世几劫以来自己的肉身流浪吗？是乔达摩回头去看自己悉达多一路流浪而来的种种因缘吗？

舞台上一条不断变换形式的大河，如此潺湲缓慢流过，河上盛载着爱恨生死，河上流动交替着日光月光，晴天，雨天。摆渡的人在佛陀寂灭之后，仍然摆渡，在舞台上画着一圈又一圈，像虚空无尽的永世轮回。

东方虚空可思量不？不也，世尊！须菩提！南西北方四维上下虚空，可思量不？

云门的《流浪者之歌》在舞蹈结束之后，在舞者谢幕之后，在观众鼓掌之后，仍然响起佐治亚大地上悠长如浩叹的歌声；摆渡的人，用长长的犁耙或桨橹在空间里画着一圈又一圈的圆。

如果虚空无尽，终场通常也只是我们自己离去，时间并没有结束。

云门的《流浪者之歌》受黑塞文学启发，这出舞作在欧洲、美洲，许多非东方宗教的地区演出，感动了无数西方观众。

二〇一三年一月十一日，这出舞剧回到亚洲、回到东方，在与印度教、佛教信仰有甚深渊源的马来西亚地区演出。东方与西方，来自高加索山区的鲁斯塔维（Rustavi）深沉的歌咏，像一篇一篇的心灵独白，与来自热带岛屿的舞者的身体，好像都在寻索“流浪”的意义。

二十一世纪了，大国崛起争霸。上个世纪，曾经在瑞士躲避战争写作的黑塞，他的悉达多，影响着争霸之外的小小岛屿。佐治亚的歌咏也是大国苏联解体后小小山区里的心灵咏叹。不与大国争霸，不应和嚣张霸道的言语，在小小的角落，坚持内心独白的安静，坚持倾听心灵真实的声音，坚持爱与和平的力量，会不会是《流浪者之歌》从热闹喧腾出走的真正意义？

马来西亚之后，佐治亚鲁斯塔维的歌咏要在二〇一三年的二月与和他们因果甚深的东方热带岛屿的舞者在台北再次相逢，“流浪者”回家了，流浪，会不会本来就是一条回家的路？

東方虛空可思量不
不也世尊須菩提
南西北方四維上下
虛空可思量不

人在长卷里，走走停停，像人在岁月里，也有轻重缓急，走来走去，终究要知道自己不会是主角。以为自己是主角，不会看得懂宋元最好的山水长卷里的云淡风轻。

春耕

春耕以后，一片一片稻禾秧苗的新绿，被海岸山脉棱线上升起的旭日微亮的光照到了。

唐诗里喜欢用“新”这个字，客舍青青柳色新，“新”不只是色彩，“新”是一种岁月里安静的光。安静，却让人心惊，让人眼睛一亮。

池上春耕后的田，秧苗初初抽长拔尖，一片耀眼的新绿翠亮，像蚕丝织锦，细看时，一丝一丝都是纤细的光。

秧苗插得有间距，稀稀疏疏。田土里积水，水田平整清浅，像一面明亮的镜子。新绿的秧苗，间杂着水光，映照着湛蓝的天空，映照着纵谷两边沉暗的山峦，映照着山脚下慵懒闲散的白云。

池上的云——特别是清晨破晓时分的云，常常横躺在大山脚边，懒散地拖着、迤逦着。一带长长的、百无聊赖的云，不想漂浮，不想高高升起，没有野心奔腾翻卷。像赖在主人脚边、一个下午都不动的慵懒的猫，主人不动，它也不动。大山如此笃定、安静、沉着，云也如此悠闲、恬淡、满足。无所事事，没有心机，没有琐碎、烦恼、唠叨。

山的棱线是水平的，云的流动是水平的，田陌的线也是水平的。许多重重叠叠、高高低低的水平线，使来到池上的人们，因为这些水平的线条静了下来。平，所以能静。

都市的人到这里，漫步、骑自行车，脚步速度都缓慢下来。他们或许不知道是因为这些一条一条水平的视觉上的线，把空间推远了。

水平使空间延展，水平也使时间有了延续，仿佛天地长久，没有要着急的事。水平的视觉，使浮躁喧腾的烦恼沉淀了下来。一条一条的水平线，使高耸陡峻的垂直的紧张有了缓和。长年居住在高楼夹紧的狭窄空间里的狭窄的心，也有了开阔平坦的可能。

违反地心引力的垂直线条，隐藏着挑战空间难度的张力。都会大楼，垂直线不断向上升起，成就野心，成就欲望，但是，也使人疲倦焦虑。不断追逐垂直上升的线，时间久了，整个人难免绷紧，绷紧到极限，会垮下来，重新学习松垮在大地上的自在平和。

池上的山、池上的水、池上的云、池上的稻田，使岛屿都会大楼过多拥挤的直线条，有了横置过来的可能。

可以横躺下来看一座山；可以横躺下来看天空，没有被直线切割的天空；可以横躺下来，看山脚下一样横躺着的云。你躺着，云也躺着。水圳里的水潺潺湲湲，好像反复问过路的行人：走那么快，要去哪里？

坐下来也好，躺下来也好。你从台北来，你从香港来，你从上海来，你从纽约来，你从世界垂直线太多的地方来。坐下来，躺下来，听一听水圳渠道的流水声，沿着田间水圳漫无目的地闲散走路漫步。耳边琤琤淙淙都是水声，水圳宽、窄、深、浅、曲、直，引导着速度不同的水流。走在水圳旁，一路就可以听到大大、小小，快快、慢慢，悠悠、荡荡，有缓有急的流水声。

池上的风景，可以像宋元人最好的长卷。起点终点都只是假设，拉开来是一直线，卷起来，周而复始，终点也可以是起点。

人在长卷里，走走停停，像人在岁月里，也有轻重缓急，走来走去，终究要知道自己不会是主角。以为自己是主角，不会看得懂宋元最好的山水长卷里的云淡风轻。

长卷里的主角，一定是山，是水，是云，是连绵到天边的稻田的绿，是稻田田垄间绵延不断的水圳沟渠，是水圳沟渠里绵延不断的水声。

人是来看山的，人是来看水的，看云也可以。看稻田的新绿到金黄，知道岁月缓缓推移。人走在岁月里，着急赶路，悠闲徐行，岁月也还是一样。

就像看长卷，一面看，一面卷，看得快，看得慢，长卷也还是长卷。

长卷看倦了，卷起来，揣在袖子里，就是一轴。

山水看得完，或者看不完，人也都要走。没有人因为山水没有看完，可以赖着不走。赖着不走，是忘了自己不会是主角。主角还是山，是水，是来去都没有踪迹的云。我们不在了，山、水都在，云也还在。真爱山水，就不会着急。

夏耘

春耕走过的池上，再来的时候已经是夏耘的季节。耘，是除草，去除稻田里的杂草。杂草多了，稻子成长的养分就被杂草吸收。稻禾是好，杂草不好。活在人世，总有选择，有判断，孰是？孰非？

佛法有时不住世间，出世间的开示就多提醒没有是非的平等。

好像《法华经》里用过田地的譬喻：天上的雨水，落在田里，滋生稻谷，也滋生杂草。稻禾、杂草，都是生命。卵生、胎生，有想、无想，对于天上洒下的雨水，并无不同。

佛经的譬喻或许不方便跟农民说，特别是头上顶着大太阳在田里挥汗除杂草的时候。我因此看了几处准备秋收时上课用的场地，就匆匆走了。

优人

再回池上，真的是秋收季节了。望眼看去，一片一片的金黄。

稻禾结穗，饱满的重量使稻穗都弯垂着头。青绿的稻禾叶尖还挺立着，一片绿色掩映着稻穗的金黄，风一吹起，青绿和金黄就俯仰摇摆，错落成色彩千变万化的光影。

十一月二日到池上，过了霜降，等候立冬了。少部分的田已经收割，大部分还等待收割，整个池上全是一片金色。接近黄昏，从中央山脉斜射下来的落日，在广大的田里泛起一片赤金色的光。

空气里都是饱满稻穗的气味，随着风，到处飘荡。一种谷粒种子甜熟的香气，沉甸甸的，很厚实，与轻盈飘荡的花的香气不同，是谷粒种子才有的饱满富足的香。花的香气是骚动的，等待着蜂蝶来给雌蕊雄蕊授粉交配的诱惑的气味。谷粒成熟，种子的气味饱满踏实，是生命完成的气味。像桌上一碗白饭，比得过所有山珍海味的昂贵的香。秋收池上的气味，像一碗白米饭，安静踏实而且满足。

早收的田地上搭了一个舞台，十一月三日优人神鼓要在这一片收割前的田地间演出。

我看过陕西的腰鼓，春耕前，成排成行的农民，赤红腰带，系着红色皮鼓，在黄土飞尘的高原上，一路用手拍鼓，一路吆喝踏步。大地干旱荒瘠，耕种了数千年的土地，疲惫的土地，衰老沉睡的土地，要被鼓声惊醒，被男子愤蛮狂烈的踏步声惊醒。鼓声，像是悲怆的喊吼：醒来吧，土地！要春耕了，土地醒不来，没有雨水，要这样一路用呛辣激昂的鼓声和暴烈的舞踏叫醒大地。

池上的优人是安静的，在中央山脉和海岸山脉之间富裕的纵谷平原，卑南溪水势丰沛，土地的富饶，节气的温和，都让秋收时有一种满足安分的静定。一片一片的金黄稻穗，齐整的田陌，各地来的观众，看优人神鼓，也看池上的秋收。听锣鼓在山峦田陌间响起，也看午后纵谷间的云从懒散开始飞扬。锣声传到远方，云从低垂的山脚开始一片一片升起，像是云的瀑布；优人鼓声震动，云翻卷过海岸山脉的棱线，从山的峰顶向下倾泻，锣鼓像是来叱咤风云的。

与北方犷烈的农民的呐喊与鼓声不同，优人的仪式优雅娴静庄重，徐徐然。锣在空气中静静振动，一波一波，在山间回响。鼓声沉着，尾音袅袅，也波荡到纵谷平原的各个角落。锣声与鼓声都不急促，声音间隙大，给聆听者音乐的空白余裕，来池上的人不会觉得是被逼迫着一定要听，有的人像是忘了在听鼓声，只是专注地静观山脉棱线上云瀑飞扬。

传统的锣鼓，无论春耕秋收，都用来谢天地。锣鼓喧腾，是回报天地之恩，池上优人的秋收仪式，因此像是表演，也不完全是表演。仪式性的美学如果只剩下了表演，也一定走样，矫揉造作，失了仪式的庄重。祭孔的八佾舞，观光饭店唐装表演的茶席因此都让人害怕。

台湾好基金会的池上活动已经第四年了，春耕到秋收，愈来愈多的外地人，因为春耕或秋收聚集在池上，领略一个小小村落的朴素宁静，领略一个小小农村存在的价值。这个小小的农村，八千人口，以他们的稻米为荣。走在田陌间，会看到一畦一畦的田地边悬挂着农田主人的名字，上面标记着耕作面积、巡田的时间、耕作的心得，也标记着验证履历与全球认证的卡号。他们的朴素宁静与世界最先进的农业观念技术同步，才使一个小小的村落有充足安分的自信吧。

优人的锣鼓因此像祝福的诵念，像肃穆的礼敬，像虔诚的感恩。女性优人徐缓的揖让进退，一种动作的节制、内敛，使人知道东方稻米文明如此谦逊平和，绝不轻易张扬自大。

男性的优人有狂放奔腾的飞舞，好像是用整个肢体撞击擂打巨大的锣和鼓，但是锣和鼓的声音都沉着绵延，不是自夸的爆裂声，不是刺耳的高分贝躁动。优人的飞舞像纵谷里长长绵亘不断的流云，像金黄色翻飞到天边的稻穗，像大山棱线起落自在的笃定，像川流不息丰沛的水声盈耳。他们飞跃、旋转、挥击鼓槌，像在天地间指斥风的行走；他们叱咤风云，却如此静定，像一尊一尊修行的罗汉——祥和慈眉，或怒目而视；卑苦刚毅，或厉色疾颜；领悟或纠缠。他们来这秋收的田野，也像一场大法会，要来与有缘无缘的过往众生对话，击打锣鼓，敲响鼓声，与山对话，与云对话，与广漠的天地对话。

秋收

优人离开了。十一月六日清晨六时，农田主人叶云忠夫妇开着卡车来，迎接要到他们田里体验收割的云门舞者。两辆卡车，是用来装稻谷的，四围的隔板特别高，舞者研究高度，找到最容易爬上去的方法，在初升渐亮的日光中出发了。

叶云忠夫妇的田，云门以录影方式记录了两年，将作为二〇一三年云门四十周年纪念作品《稻禾》的创作元素。

张天助先生担任割稻的讲解，发给每一位舞者一只白手套、两条黑布袖套、一把镰刀，简单讲解了手的把握、站立蹲踞方式、下刀的力度，特别强调放下一束稻穗时的慎重，他说："不要让谷粒洒落地上……"

舞者开始割稻，白鹭鸶与燕子陆续飞来，在割稻后露出的田土间觅食昆虫。

张天助也搬来四十年前打谷用的老式机器，放在收割后的稻埂田间，让舞者学习如何一面脚踩踏板、转动轴轮，一面将一束一束的稻谷放入轴轮。轴轮飞转，谷粒四散飞扬，谷粒夹杂稻叶，就用箩筛在风里扬簸，让风吹去草叶杂质。

农村的经验对年轻一代愈来愈陌生了，土地的劳动对年轻一代更是愈来愈陌生了。在快速便利的交通完成后，许多高铁高速公路不到的村镇陆续被遗忘了。哪里是仑背？哪里是刺桐？哪里是苑里？瑞穗？后龙？铜锣？

岛屿的地图剩下几个没有差异的都会，以及没有差异的生活方式。

岛屿的拼图或许可以重新找回更小的点——三一九乡，或者比三一九乡更小的村落，像池上，找到最小的存在方式，找到最小的存在价值，找到被IC产业掩盖的所有传统基础产业的存在价值（像池上的稻米）。这会不会是岛屿重新拼图的开始？我们听了太多台北高雄的故事，其实也可以重新听一听池上。

从稻田走回住处，一路跟认识的、不认识的人打招呼。几名妇人在水圳边搓洗衣物，水圳边留出洗衣的方台，安置石刻的搓板，显然是鼓励用水圳的水洗衣服。“比较好……”妇人回答说：“自然的水软，家里水太硬，对身体衣物都不好……”小小村落存在的价值，或许可以提供高度依赖工业科技的都会一种全新的反省。

云门舞者六小时收割完成，坐在田垄间吃米苔目，人手一束稻穗，合拍了秋收后欢欣的照片。

城市的记忆

走到安平，夕阳的光里是热带潮湿带咸腥气味的海风，光在连绵不断的榕树枝叶须根间明灭闪烁，须根接着老建筑的砖块，纠缠环绕，依靠牵连，自然的树与人为的建筑，相依相存，成为共生的风景。

台北

童年住在大龙峒，是当时台北市的西北边缘。如果以台北火车站做中心，公交车从这一中心点向四面八方行驶，大龙峒对“0北”与“2号”两线公交车而言都是终点站。

第一次跟母亲到大龙峒，到终点站，下了车，母亲带我认识街名——兰州街、库伦街、酒泉街、哈密街，母亲告诉我，是到了一个城市的大西北方向了。

当时刚迁台不久的国民党，把一整个中国的版图放进了台北市，街名的位置也就是中国城市的位置。

在大龙峒住到我二十五岁离开台湾，我最早的城市记忆就是台北。

童年活动的地区是大龙峒，距离我家不到一分钟有保安宫，每天从庙垣西侧窄巷过，闻得到香炉烟火弥漫，也听到诵经呢喃。

保安宫庙埕长年演戏，歌仔戏、木偶戏都有，庙的东侧隔着兰州街是我读书的大龙小学。

大龙小学隔街南边就是孔子庙，庙里有大榕树，我们出学校大门，从孔庙后门就可以直进大成殿。许多学生下课都顺路拜孔子，觉得对考试有帮助。

年龄再大一点，领域范围扩大，以大龙峒为中心，向东北走三十分钟，可以到圆山。圆山附近当时有动物园，也有基隆河边的养鸭人家与制陶的作坊。基隆河上有通行火车的铁桥，胆大一点的同学就会踩着铁轨，过河到剑潭。

一直到小学四年级，对一个十岁的孩子而言，“远征”的范围，大概还在步行三十分钟以内。

向西的极限就常常是淡水河中的社子岛。一片荒芜的沙洲，台风过后，波涛滚滚，波涛里夹着泥沙，也滚动着上游飘来的西瓜、冬瓜，或死猪的尸体。

同伴们常常坐在沙洲上看落日，落日的方向是观音山，山峰轮廓是很秀美的观音的眉眼口鼻。

二十世纪五十年代，学童多有寄生虫，学校发了打虫药，放学时吃了，落日时分，我们相约一起野地大便。蹲在沙洲高处，裤子褪到脚踝，一排同年龄的孩子，比赛谁屙屎拉出来的蛔虫比较多。

小学五年级，稍稍大一点了，隐约觉得城市的中心在往南的方向。开始沿着重庆北路向南探险，经过大同戏院，抬头看画工绘制新片看板。

如果岔到偏向西南一点的延平北路，就会走到大桥头。

大桥头聚着打零工的工人、摊贩，有一间专演歌仔戏的大桥戏院，戏剧结束前几分钟，会放人免费进场观看“戏尾”，像是一种广告吧。群众多于此时涌入，小孩身量不高，挤在大人身后，看不见舞台，听唢呐叭叭吹响，也乐不可支。

大桥是灰色的钢铁梁柱结构，是我记忆里最早的城市的标志符号吧，有一种工业文明的壮大严谨。

过了大桥就是三重埔，已经不属于当时的台北市了。我走到铁桥上，看汽车呼呼驶过，闻到空气中散发的辛热汽油味道，有莫名的兴奋。

那个年代还多牛车、人力车，汽车飞驰的汽油味混合尘土飞扬，也就是城市最初的快乐记忆吧？

不知道为什么后来拆了大桥，不知道那些如同埃菲尔铁塔一般的钢铁梁柱拆除以后都废弃丢掷到哪里去了。

我意识到我的城市是一个记忆不断被拆除的城市。城市的记忆不断消失，也正是我青春期无端忧郁岁月的开始吧。

小学毕业前，我步行的领域突破三十分钟，到了后火车站附近的圆环。

许多吃食摊的各种气味混杂着，麻油腰花的沉厚香油气味，蚵仔煎平锅腾起的蛋香与九层塔的清辛，混合着甜酱与一点贝类的鲜腥。

穿梭在圆环里的每一个狭窄过道，火光热气蒸腾，我记忆着一个城市丰富的嗅觉气味：鱿鱼的切花正在滚烫的沸水中卷起，鳝鱼血红的肚膛刚被浓郁酱味的芡糊裹满，火光从大铁锅上冲起，照亮了厨师油光火红冒着汗的大脸。

我还能记忆什么？每次走到重庆路、南京路路口，我都清楚知道某一家的卤肉饭使人垂涎的位置。那位置像一个梦，然而，是被粗暴挖掘机摧毁破坏了的梦。

一个留不住记忆的城市。我站在街口，知道如果这个城市什么都无法留住，我们的所谓繁华，也只是迟早会被粗暴无知彻底摧毁殆尽的一个不真实的梦而已吧。

越过“中央戏院”，太原路的尽头，紧依后火车站，是早期城市的公娼或私娼寮。许多低矮简陋的建筑，门上贴着“良家妇女”几个歪歪斜斜写在红纸上的字。许多批发的五金、布匹、木桶、铅字铸印，堆满各种杂货的铺子，一间一间，满足着一个小学即将毕业的孩子对各样物质与行业的好奇心。

台北火车站远远矗立着，像是城市的水晶球，水晶球里梦幻一般的童话城堡，转动出各种奇幻的人生。

“当！当！”的声音响起，平交道栅栏缓缓放下，红灯闪烁，脚踏车、行人停下来，左右张望，看到火车远远驶来，“呜——呜——”的汽笛鸣叫，一阵风，卷起呛烈的煤烟，扑头扑脸，都是煤灰。然而大家都是快乐的，好像靠近火车站，就是靠近了童话故事的中心，我们的幸福都寄托在这城堡的尖塔上。

中学以后，学校的郊游旅行都从火车站出发，许多人的约会与告别都在火车站。

闽南语的流行歌里一直流传着《离别月台票》的沧桑旋律。那一条长长的月台，许多人相见，许多人告别，城市里没有一个空间每天上演着这么多的人生故事。

当兵去南部，是清晨的火车。青涩的兵，腼腆地听着母亲叮咛，手里提着母亲煮的茶叶蛋，提袋湿湿热热的。火车缓缓开动，又是那悠长像叹息的汽笛声，长长的叹息，长长的月台，许多青年眼中愈来愈远的许多母亲的身影，交错着许多年轻的兵往南方去的兴奋与忧伤。火车站，一个城市最深沉的记忆又拆除掉了。

一九八六年，台北火车站拆除，我已经从巴黎回台湾十年了。站在一个城市废弃的中心，我的童话世界结束了，我的记忆再一次被粗暴地摧毁。

这是一个留不住记忆的城市吗？如果没有记忆，我们今天引以为傲的文明与繁华会有任何意义吗？

巴黎

巴黎十九世纪的奥尔塞火车站，不再是火车站了，但是没有拆除。车站是一百年来巴黎许多人的记忆，在这里相见，在这里告别。因此奥尔塞车站重新整修，变装成奥尔塞美术馆，收存十九世纪印象派的绘画、雕塑、家具、建筑模型，保留了一整个时代的记忆。

一百年前，印象派的许多画家背着画架画布，正是从这个车站的月台出发，到法国南方去寻找阳光里的风景。车站月台上留着他们的足迹，留着他们绘画自己时代的记忆。

月台变成了展示空间，车站大厅的巨大时钟还在行走：记忆的时间，现在的时间，未来的时间。月台上的行人看着上一个世纪的城市的风景，一张一张静止的时代记忆，城市记忆延续着，永远不会、也不应该消失。

超过一百年的东京火车站经过整修，在二〇一二年重新开放，城市的记忆不断累积成文明历史的厚度深度。

然而，我的火车站到哪里去了？谁拆除了我们的城市记忆？

站在城市不断拆除记忆的废墟上，我觉得自己像一个没有魂魄的身体，做着一个没有头绪的梦。

巴黎的记忆被保留着，许多人在许多年后，重回巴黎，还能够找回记忆。记忆都还在，才会使人一次又一次重回巴黎。

一些步行走过的窄小巷弄，方块石砖铺的地面，街角的咖啡的气味。二手书店手工缝制皮封面的师父，头发白了，然而还在窗口映着阳光用针线纳补书的装褙，仍然抬起头跟过路的行人说：日安。

城市可以这样天长地久，记忆都还存在，让人安心。

二十五岁在巴黎读书，回台湾忙碌于工作，有一天疲倦了，已经五十岁了。一个夜晚，打电话到巴黎给刚去画画的学生，我说："好想回巴黎画画。"学生说："来啊。"

一个城市可以使人疲倦的时候想到她，一个城市可以让人毫不犹豫地回去，那是一个懂得尊重记忆的城市吧？

下了飞机，到了住处，一条牛仔裤，一件旧衬衫，抱一瓶红酒，口袋插一册诗集，坐在塞纳河河边一整天，好像从来没有离开过。二十五岁，一直坐在那里，听着河水，听着每一小时教堂准点的钟声。

我没有离开过吗？朋友问我，为什么回到巴黎画画？我想一想，好像不是"回到巴黎"，我说："是回到我的二十五岁。"

画室是马房改的，屋顶高，有粗重的梁木，门上喷火怪兽的浮雕，据说是弗朗西斯一世的徽志。

画画累了，走出大门，在圣米歇尔广场看三三两两的青年。过街就是塞纳河，往左是新桥，往右有海明威浪荡时的莎士比亚书店，书店隔河是西堤岛，岛上矗立着圣母院，西面两座高高钟楼，是雨果《巴黎圣母院》的小说背景。

所有的记忆都在，海明威如果回来，雨果如果回来，都找得到他们的记忆。

记忆像曾经握在爱人手中的一枚硬币，掉在城市角落，找到的时候，还感觉得到爱人体温。

夏日九点以后，西斜的夕阳会照亮两座钟楼高处，广场一片晚照的光，地面上一个铜牌闪亮，铜牌上是阿拉伯数字的“0”。这是巴黎的“零坐标”，地理上巴黎的中心，历史上巴黎的起点。一千年来，从这个圆点一圈一圈向外围扩大：十二世纪的巴黎，十三世纪的巴黎，十四世纪的巴黎，一直到十九世纪的巴黎，二十一世纪最外围的巴黎。这一个两百多万人口的城市，像巨大的树木，有一圈一圈的历史年轮。

回到台北，我也想寻找我的城市的“零坐标”，我想再一次认识我居住超过六十年的城市的地理与历史的起点，细细重走一圈一圈的城市年轮。

夏日九点，夕阳的光都在城市高处了。穿过一个小广场，大片建筑上写了一行一行的诗句，啊——是兰波（A. Rimbaud）的《醉舟》！

“整片墙，是谁写的啊？”

一个妇人伸伸舌头：“疯子吧！”

这个城市有优雅的“疯子”，坐在路边看行人。要一片面包，要一点红酒，然后靠着豪宅大门睡着了。豪宅主人不悦，但是他想起古希腊的哲人，躺在阳光里睡觉，亚历山大大帝走来请他做官，他睁开眼睛说：“请不要遮住我的阳光——”

巴黎或许一直做着奇异的梦。二十世纪一开始，毕加索从西班牙来，不多久，常玉从中国来，藤田嗣治从日本来，莫迪利亚尼从意大利来，苏蒂纳从南俄罗斯来……巴黎不是法国人的巴黎，是世界的巴黎——邓肯在这里跳舞，肖邦在这里作曲，王尔德在这里写作，布努埃尔在这里拍电影，忘记他们的祖国，巴黎是他们做梦的原乡。

台南

在巴黎画画累了，小巷里 Allard 餐厅的橄榄鸭是犒赏自己的晚餐，秋后回台湾也会想念起台南的小吃。

水仙宫市场的小卷米粉、魠魠鱼羹、羊肉汤，量都不大，可以一路吃下去。台南的朋友都有一张美食地图，在法华寺看完潘丽水画的门神，一定相约去水仙宫，美食与绘画好像是城市文化记忆轴线上的两端。

巴黎的文化轴线从圣母院开始，笔直向西，沿塞纳河，到罗浮宫。罗浮宫广场有路易十四骑马像，雕像与下面台座不平行，雕像指向小凯旋门，笔直向西，通过协和广场的埃及方尖碑，笔直穿过整条香榭丽舍大道。通过大凯旋门，再向西，就是代表二十一世纪的“拉德芳斯”新科技的大拱门，数十公里长，这是巴黎两百年间完成的历史文化轴线。

台南应该也有自己的城市“零坐标”，台南应该也有自己引以自豪的城市文化轴线。海安路被切割了，拆除了记忆；然而城市的艺术工作者细心描绘，仿佛用针线补图，一点一点重建城市记忆的蓝图。

走到安平，夕阳的光里是热带潮湿带咸腥气味的海风，光在连绵不断的榕树枝叶须根间明灭闪烁，须根接着老建筑的砖块，纠缠环绕，依靠牵连，自然的树与人为的建筑，相依相存，成为共生的风景。拆除了树，建筑无法独立支持；拆除了建筑，树也无以独立。

共生的价值或许是一个有历史记忆的城市寻找文化轴线的起点吧。

安平古堡附近走一圈，有荷兰人建立的地基遗址，有明郑数十年的经营痕迹，有清代的防卫炮台，有沈葆桢忧心忡忡在海权航行争霸的年代为岛屿写下的四个大字“亿载金城”。是深长的祝福吧！文化轴线或许也会中断，戛然而止，一个晚清大臣“亿载”两字最深切的祝福，却使人不禁感伤了起来。

许多英商、德商的洋行重建了，在落日余晖里仿佛记忆着另一种文化轴线的延续绵延。赤崁楼、大天后宫，孔庙、武庙、永华宫，一个城市的记忆延续着，在文资中心叶石涛纪念馆看娟秀的手稿，看《葫芦巷春梦》迷离幽魅的上一个世代日本殖民下城市的诸多记忆。

我的台南记忆是一片深沉温暖的红墙。那一片红，是世界上独一无二的红，是色彩，是温度，也是岁月。

仿佛皇太子还坐在知事府邸八角楼一个面北的房间里，望着窗外南国婆娑的树影，无限深长地想着帝国的梦，他也感觉到“亿载金城”四个字的沧桑吗？某一个夜晚，在一家叫作 Mon Ga 的小店，喝着调酒，四围窝着附近大学的青年，他们手中捧着《航海王》漫画，橱窗里都是漫画公仔，或许有一个世代的台南记忆在重新开启，二十年后，重来的青年不再是青年了，他们也必然有自己的城市乡愁吧。

写给春分

我多么喜欢沈葆桢在十九世纪来到这岛屿时写下的句子——『洪荒留此山川，作遗民世界』。看尽热闹繁华，能从嘈杂中出走，洪荒总会为一两个出走的人准备一片干净山川吧。

上次画展是二〇一〇年的十一月。画展之后，不到一个月，一场大病，动了心脏手术。病愈之后，长达半年的复健，一直到如今，每天依然被要求要走一万步。

发病之前还去走了太鲁阁锥麓大断崖，在近一千米壁立的悬崖峭壁上行走，觉得有点晕眩，然而大山耸峙，立雾溪一路从峡谷间奔窜而来，被挤压的大陆板块，在岛屿东部啸傲而起，像被激怒奋起嘶吼的生命。

从年轻时开始，就被这片山水震撼，爱上这片高山深谷，算一算，匆匆四五十年就过去了。

台北“故宫”有许多我喜欢的画。范宽的山如此中正不阿、挺拔大气。郭熙婉转，画里都是早春的迷雾渲染。李唐用斧劈解构溪壑急流岸边刚硬的岩石肌理。

好像那些大山还停在十一世纪、十二世纪，成为文明永恒的标记。

后来者重复着李唐的斧劈皴、郭熙的卷云皴、范宽的雨点皴，渐渐地，人们只看见皴，不再看真实的大山，不再听一线急瀑奔腾而下的惊人力量。

诗人指点江山，画家也指点江山，他们指指点点，来的人就多了。

诗人走了，画家也走了，江山前面挤满了来看风景的人；然而，江山里人一多，挤满了人，也就看不见风景了。

我去了黄山，去了华山，一路上看到历朝历代的题咏，密密麻麻，都刻在石壁上，赞叹风景，歌咏风景。但是，太多文人题记，也遮蔽了好山水，江山仍在，却都是成见，看不见风景了。

太鲁阁立雾溪是年轻的山川，它们还没有太多诗人画家的题记歌咏。它们年轻、单纯，还没有变成概念，还没有“皴法”。所以，走在那洪荒的风景中，可以与江山素面相见，彼此都没有心机成见。

好山水，或许是还没有诗人画家指点过的江山吧。名山大岳归来，还是只想走一走太鲁阁僻静的山路。

我多么喜欢沈葆桢在十九世纪来到这岛屿时写下的句子——“洪荒留此山川，作遗民世界。”

看尽热闹繁华，能从嘈杂中出走，洪荒总会为一两个出走的人准备一片干净山川吧。

年轻时候走过的一条路，曾经在路上狂歌酣醉，在爱恨纠缠里涕泪满襟。走到峰回路转，走到水穷之处，走到迷雾朦胧，走到月升到峡谷中线，月光清澈明晃，我想歌声的高音或许可以和此时山川对话。峡谷里月光如水，然而有人哽咽，有更年轻的声音跟我说："老师，我画不出这样的山水。"

多年来一直记得月光下那年轻的容颜，他知道美术不是皴法，美不是技术。美使他剧痛，美使他热泪盈眶，美使他懂得谦卑。

美，是生命的功课。

一九八四年后，动念画这一片洪荒中的山川。宋元皴法都用不上，太鲁阁不纯然是斧劈，不是卷云，也不是擅长表现土质丘陵的披麻皴法。

背负了太多过去的成见，水墨走到绝境了吗？

我尝试在纸上拉很多墨线——扭曲纠缠的线，被挤压的力量逼迫着的线，在压迫中向上升起的线。

那或许不是皴法，而是我记忆里岛屿在板块挤压下顽强的生命力——不甘屈服，不甘妥协，啸傲升起，或是彻底崩溃毁灭。

每次大雨都有山崩地裂，巨石从天而降，泥流滚滚。

洪荒留此山川，是给来这里的生命严峻的考试吗？

我游走在洪荒的岛屿，立春，惊蛰，所有蛰伏的生命都在沉埋的土中蛹动，它们要苏醒复活了。

春分前后，大约清晨五点零六分，太阳从淡水河面升起。我准备出门走路，沿着淡水河岸，看河面上初露曙光，一片一片波光。走一万步，刚好到在河岸渡船头的画室。

在画室读经、磨墨，写当天河边看到的景象——春分前，苦楝陆续开花了，一片溶溶粉紫，像是紫色的雾，清淡到不容易觉察。

沿河岸边有原生的红树水笔仔，已经蔓延成林，白鹭鸶栖息树梢，一动不动，凝视着一波一波涨起的潮水。黄槿也是河海交界处的原生植物，耐旱，耐咸，可以在恶劣的环境生长。黄槿一年四季开花，花有小碗口大，嫩黄花瓣，艳紫色浓郁蕊芯，华丽贵气的色彩，不像是贫瘠土地上开出的花。掉在地上的黄槿，我总拾起一两朵，带到画室，放在案前，陪伴我磨墨写字。

磨墨写字，算是早课吧，也不刻意以为是书法。

画室里陪伴我的好像总是巴赫，有时候是萨蒂。他们的音乐都不太打扰人，可以若有若无。

每到春分，河谷间云雾缭乱涌动，仿佛紫黑石砚上一层渗水散开的松烟。

有时河口落日明灭变幻，无端使我想起柴山西子湾看过的一个夏至，也是这样如火绽放的凤凰花，红花与落日灿烂鲜艳到让人心痛。夏日最后山林间突然响起整山晚蝉的声音，高亢激昂，会让人停了工作，聆听那肺腑深处一声一声的嘶叫，在岁月尽头，仍然毫不疲软萎弱。

如果是过了立秋，还是想再去一次东部大山，在立雾溪峡谷支流塔次基里溪的步道漫步。晚云低垂凝练，大山沉静，溪流深壑，蜿蜒而去，几世几劫，巨石岩壑这样纠缠，总有因果吧。

是我与这岛屿的因果吗？

然而，白露为霜，走在山路上看山看水，山水，有时候好像只是空白里一点牵连，若有若无。用水墨记忆渲染，用油彩勾勒涂抹，或许都只是无可奈何却总也不肯放弃的努力吧。

“无可奈何花落去……”眷恋过岁月，也都知道岁月无关，是留也留不住的。

三年了，可以记忆和可以遗忘的,其实都不只这些。如果叫作画展，除了诗句、墨痕、色相斑斓，其他，真的也不想再说什么。

二〇一三年春分

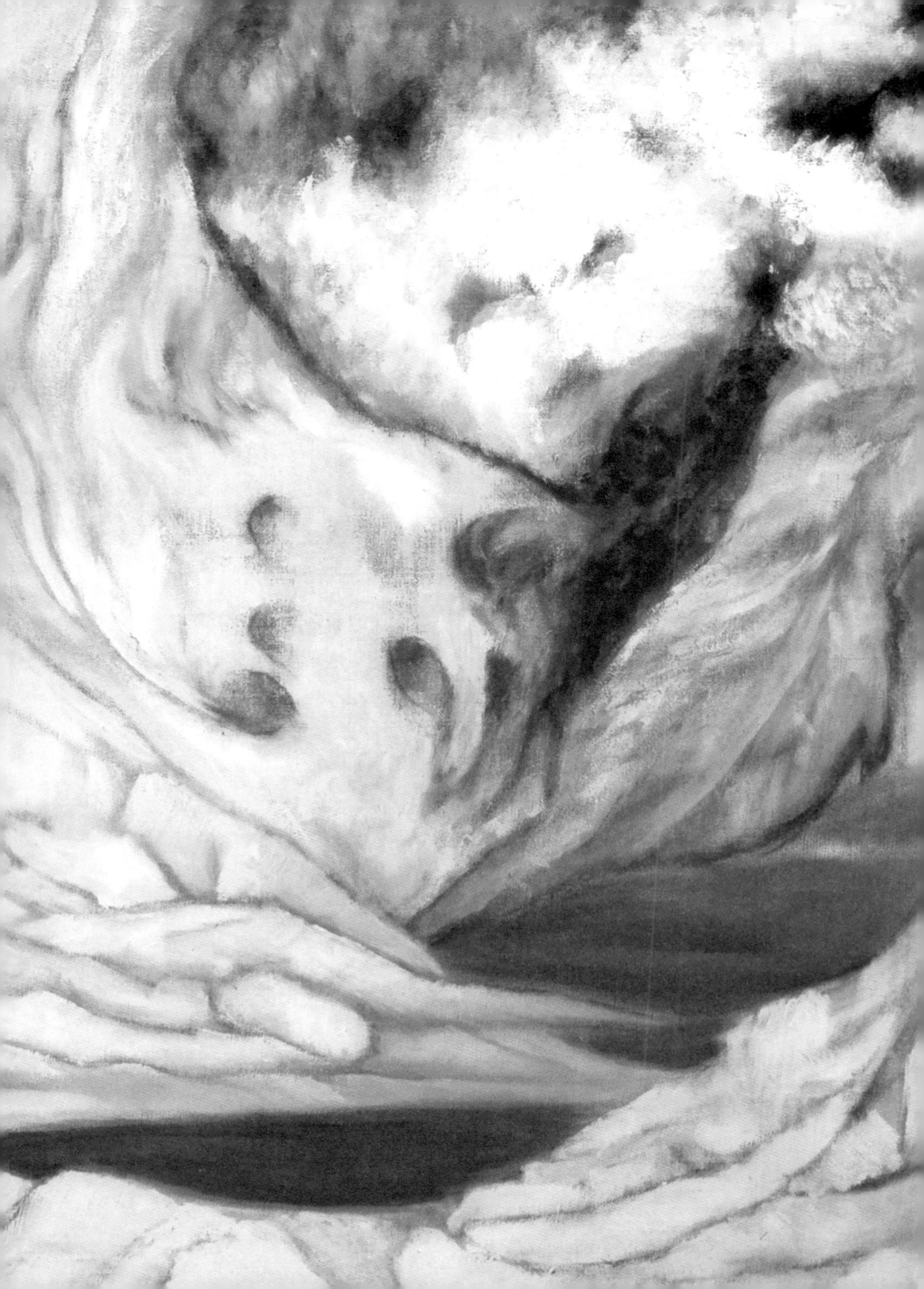

编后记

postscript

带着《金刚经》的旅行

许悔之

泰北清迈山区，水气饱满略凉，从梦中醒来，披衣走入夜色中，抽烟。若有想，非有想，我心中浮现了一些句子：

壁虎在唱歌

披衣而起

沾了衣，鞋底也露湿

无意而得的梦，三两个

有心照亮人间的

星星有七八颗

夜空中，壁虎真的在唱歌；空中疏星隐约，我觉得是有心要照亮人间；天地有诸般声响，各种生命正在运行。我是谁？我像一个与诸世间若有关联又不相干的人，夜观星空，觉得无比虚空并且孤独。瞬即明白，自己早已无法弃圣绝智，用纯然的本心去应对种种境、种种色。

就像白日里，右绕无梦寺的大塔而行，大声地念着六字大明咒；一圈、两圈、三圈，走到心静了，就忘闻了寺里的鸟叫鸡鸣、人语风声；我以为，自己的脚步在哪里，心就在哪里。

直到赤足之我，踩到了一大片干枯的落叶，瞬间，枯叶所有裂解的过程，清清楚楚、明明白白；我想起在法鼓山禅三时的经验，有几个片刻，感受到身与心合一时那难以言说的轻安。

枯叶裂解的声音，次第分明，宛若地裂天崩。

我会听到，因为那个时刻，我放弃、放掉了“我以为”。

我是跟随蒋勋老师的文章而来清迈无梦寺的。

近两年，在《联合报》副刊读了蒋勋老师好几篇文章，内容或与古老佛寺、或与《金刚经》相关，其中一篇，是写泰国清迈的无梦寺。读报的那天，我就许下一愿，定当去无梦寺一趟，为我自己心中的一愿绕塔。另外一篇，蒋老师写日本京都永观堂，当日看到报纸上的文章，我就哭了。

不是垂泪，是发出声音的哭泣。

这两篇文章那么震动我的原因之一，是文章中炯炯而现前的，柔软心。

长年作为一个编辑，如今作为出版人，我认识蒋老师很早，那是二十多年前的事。远在识得他之前，他写的书，我就熟知。这二十多年来，因着编辑的工作，总有一些因缘与蒋老师见面；赞叹他书写中的博知、贯通与文采之外，我总还有一些感觉想不清楚、说不出来。

二〇〇三年的深冬到二〇〇四年初春，是我第一次比较完整的感知。

那是我此生最困顿的一段时日，我正经历一次身心大死的可能。整个冬日，我抄经过日，几乎吃不下任何东西。

初春时分，蒋老师没有事先告知，突然来到我彼时工作的办公室。

他走进我的办公室，没有说话，给了我一个深深的拥抱，然后留下一纸画仙板，上面写着楞严经句。

“佛说如此知肉身艰难，悔之珍重”，他在其上题记。

十年来，这画仙板都挂在家中最明显的地方，我有时一日见之数十回，或百回呢，不知道；有时就只是过眼了，知道，人间有着祝福。

我到无梦寺，心中有着一愿。

所以就来了。

也没多去哪里，就是睡醒了，去看蒋老师文章里提到的那些在时间中残损而依然微笑的佛像，去绕塔。

蒋老师当时去无梦寺，曾用手机传来若干无梦寺的照片，包括那些佛像，当时我非常震动。甚至想到，这些怡然自在而微笑的佛像，多么像佛之化身在说法啊！

夜里的声响是一种微妙的震动，壁虎在唱歌。我想着夜前，一只麒麟尾的流浪母猫，带着两只小猫，在我跟前，在我身旁。我没有食物可以给它们，所以就为它们念六字大明咒。母猫安安静静地蹲坐，良久，眼睛定定地看着我。不知道是它温柔，还是我的心温柔，我就完全无法自制地，想哭。

但这一次，我并没有哭出来。我知道这次的无梦寺之旅，是我的功课：要学习悲心，但不悲哀；要心中有情，但不牵挂。

那母猫安静自在的眼神，仿佛看穿了我的脆弱，而在安慰我吧。

我的心，如果此生真的学会了一点点柔软，想必，定是蒋老师教会我的。就像夜前和三只猫的缘会，应该是生生世世的因缘而有之吧。

混迹台北多年，尘世不免恩怨，你不怨人，抑或有人怨之。以前每次念经、绕塔，普皆回向时，我总没办法为三个人祝福；这一次，我终于可以放下挂碍，为这三个其实因为我自挂碍而挂碍我的人，回向祝福了。

这是因为追随蒋老师而来无梦寺，我学会的另一功课吧。

二○一○年十二月十八日，蒋老师急性心肌梗塞，急救顺利，之后他的复健中，我有西藏之行，行前我发简讯跟他说，自己要去西藏了。蒋老师用简讯回答我：请代我在大昭寺前合十。

在西藏拉萨的大昭寺前，我为蒋老师合十祈愿，愿诸佛菩萨慈眼慈力，蒋老师身体康健；然后，我为母亲求，为家人好友求，为工作伙伴求，为生活中的因缘者求，我一一念出名字，为他们向佛菩萨求。但怎么念得完呢？又怎么会没有遗漏呢？我充满了惶恐，生怕漏了名字，我急得欲死，我一直喃喃地念，仿佛念到了有一劫、一劫余那么的久！念到心中浮现一句：

“愿众生离苦得乐。”

蒋老师交代我的，是代他合掌，礼敬诸佛菩萨。他并没有要我为他祈求诸佛菩萨，是我自己想为他求。

那是我生命中，第一次比较深刻的感受：清净，平等，广大！

若是为人，即是为己。如来说，众生非众生，是名众生。如来说微尘非微尘，是名微尘；如来说世界非世界，是名世界。《金刚经》中，佛说如此。

《金刚经》中，佛陀说："善男子，善女人！"

想必有一世，佛也对蒋老师说："善男子！"我跟随着他的一篇文章，来到无梦寺，看见一座五六百年的南传佛教的古老寺院，参天大树下，有一园子，园中放有许多被弃置的佛像，僧人收来，放在这里，任凭风吹日晒雨淋，有些长满了青苔。佛像的手，依旧安然；佛的嘴角，不改微笑。园里蝴蝶蜻蜓飞来飞去，公鸡昂首踱步，母鸡携雏觅食，偶有鸟雀停在佛像上，又飞走。

在这美丽之中，蚊子非常地多，像是在提醒我：不起分别。

"烦恼泥中，乃有众生起佛法耳。"

我待得愈久，蚊子就叮咬愈多。初是心烦，专心看微笑的佛，久一些，就自然而然忘了痒肿。

我没有带蒋老师的文章来清迈，也未带着《金刚经》到园中，然而，这一切都在我心中。金刚（钻石）能断一切，唯心能断金刚。

在踩碎枯叶的绕塔经行后，我坐在塔边；寺里有两位年轻的比丘来绕塔，一位当地女子跪于塔前，衷心祈愿后，也慢慢绕塔。每次他们绕行过我，我都觉得久远劫前，曾经相识，经历时间久远，然后忘了；他们的步履轻安无比，难以言说，让我想到《金刚经》的开头。

佛陀饿了，他着衣、持钵，带着僧团走入舍卫城中，平等、无差别地一家一户乞食。

看着绕塔的僧人、绕塔的女子，我仿佛打开了一部《金刚经》。

塔旁，日照炽然，但仍有风吹，风吹着原上之草，多像我那不知如何降伏的心啊。

我起步，决定再走回到园中，再多看那些佛像，向每一尊佛像合掌。

我忽然觉得此生，其实我并不认识蒋老师；我只是一名读者、一名众生，凭着一篇文章，来到了无梦寺。

捨不得

图书在版编目（CIP）数据

舍得，舍不得：带着《金刚经》旅行 / 蒋勋著 . — 长沙：湖南美术出版社，2015.10
ISBN 978-7-5356-7380-0

Ⅰ . ①舍… Ⅱ . ①蒋… Ⅲ . ①随笔－作品集－中国－当代 Ⅳ . ① I267.1

中国版本图书馆 CIP 数据核字（2015）第 219830 号

湖南省版权局著作权合同登记图字：18-2015-081

本著作物简体版由有鹿文化事业有限公司授权中国大陆地区（不包括中国台湾、中国香港及其他海外地区）出版。本书照片由拍摄者授权。
© 中南博集天卷文化传媒有限公司。本书版权受法律保护。未经权利人许可，任何人不得以任何方式使用本书包括正文、插图、封面、版式等任何部分内容，违者将受到法律制裁。

上架建议：散文 · 旅行

舍得，舍不得：带着《金刚经》旅行

出 版 人：李小山
著　　者：蒋　勋
策　　划：熊　英
责任编辑：刘海珍　潘旖妍
版权引进：刘海珍　文赛峰
特约监制：吴文娟　郭　群
特约编辑：董　卉
文案编辑：庞海丽
营销编辑：王钰捷　仇　悦
装帧设计：戴　宇
内文排版：戴　宇　李　洁
图片提供：王潭深（P8）苏彬尧（P108）林煜帏（P221）
玛丽-兰 · 阮 / 维基共享资源（P158）
出版发行：湖南美术出版社
（长沙市东二环一段 622 号）
经　　销：新华书店
印　　刷：北京天宇万达印刷有限公司
开　　本：880mm × 1230mm　1/32
字　　数：160 千字
印　　张：8
版　　次：2015 年 10 月第 1 版
印　　次：2016 年 9 月第 16 次印刷
书　　号：ISBN 978-7-5356-7380-0
定　　价：45.00 元

质量监督电话：010-59096394 团购电话：010-59320018